대재앙 시대
생존 전략

황장수

서민 포퓰리즘 15조

대재앙 시대
생존 전략

황장수

서민   포퓰리즘

서포
15조

황장수 지음

미래엔

본래 포퓰리즘은 '대중의 견해와 바람을 대변하는 정치활동과 사상'을 의미한다. 정치가 기득권을 쥔 몇몇 상류층의 이해를 대변하기보다 서민 대중의 이해를 존중해야 한다는 것은 지극히 당연한 일이다. 그런데 오늘날 사람들은 자신의 권력욕과 탐욕, 이념 지향을 위해 대중을 선동해서 정치 목적을 달성하려는 음모를 포퓰리즘이라 부르면서 포퓰리즘을 모독하고 있다.

책머리에

        돌이켜보면 살아온 제 삶에서 평탄한 순간은 거의 없었습니다. 남들이 평생 한 번 겪어볼까 말까 한 어렵고 고통스러운 순간이 주기적으로 찾아왔고 절망에 빠졌던 순간도 많았습니다. 정말로 어려울 때는 '나중에 이 순간을 웃으며 회상할 때가 오기나 할까' 하는 절망이 엄습해 왔지만 인생이 늘 그렇듯 살다 보면 지독한 고통의 순간도 시간과 함께 지나가 버립니다.

    유튜브에서 하루도 쉬지 않고 〈뉴스브리핑〉을 한 지 벌써 5년 5개월이 지났습니다. 처음엔 제 입을 막으려는 지난 정권의 졸렬함에 화가 나서 시작했는데 하다 보니 65개월이 훌쩍 지나갔네요. 제 삶 자체가 평탄하기보다 5분마다 액션과 스릴이 터져 나오는 블록버스터 영화 같았기에 더 이상 번잡한 일거리를 만들지 않고 봉사하듯 몇 년 뉴스브리핑을 한 뒤 남들처럼 인생의 여유를 누리고 싶은 마음도 있었습니다.

    하지만 제 천성은 이솝우화 《개구리와 전갈》에 나오는 전갈처럼 튀어나왔고 상대는 촛불로 권력을 장악한 문재인 정권이었습니다. 대중은 잠깐 열화와 같은 응원을 보냈지만 짧게 끝나버린 봄날 이후 혹독한 전방위 탄압이 시작되었습니다. 이때 알 파치노가 주연으로 나온 영화 〈칼리토〉가 생각났습니다. 뒷골목 건달 칼리토는 장기복역 후 돈을 모아 사랑하는 연인과 바하마로 떠나 그림 같은 해변에서 춤추기를 희망했지만 마지막 순간 총을 맞고 죽어가는 운명에서 벗어나지 못합니다. 제 삶도 칼리토와 같은지는 잘 모르겠지만 정치에서 벗어나려 그렇게 애를 썼지만 쉽지 않았습니다. 뉴스브리핑과 함께한 세월은 수십 차례의 앵그리블루 집회를 만들었고, 집회는 결국 서포 15조를 이끌어 냈습니다.

솔직히 2019년 6월 22일, 2차 앵그리블루 홍대 집회에서 서포 15조를 발표할 때만 해도 이것이 창당으로 이어질 줄은 저도 몰랐습니다. 다만 대중이 권력 부패나 의혹에만 분노할 것이 아니라 현실을 타파하기 위한 공동 가치와 목표가 있었으면 좋겠다는 생각은 했었지요. 그런데 막상 기성 정치권이 서포 15조를 철저히 무시하자 영화 〈하이 눈〉의 보안관 게리 쿠퍼처럼 누군가는 이 싸움을 끝내야 한다는 생각이 들었습니다. 그때 제게 신호가 오기 시작했습니다. 여기서 참지 못하면 또다시 엄청난 질곡과 수렁으로 빠져 들어간다는 신호였습니다.

지금껏 살아오면서 미리 안다고 반드시 사전 예방이 되는 것은 아니라는 걸 뼈저리게 느꼈습니다. 저는 이번에도 걸려들었고 이게 어쩔 수 없는 천성인 모양이라고 그냥 받아들이고 있습니다. 이제 서포 15조를 앞에 내걸고 힘든 싸움의 긴 여정에 나서려 합니다. 문득 루쉰의 시 〈희망〉을 떠올려봅니다.

희망이란 본디 있다고도 할 수 없고 없다고도 할 수 없다.

그것은 땅 위의 길과 같다.

본래 땅 위에는 길이 없었다.

걸어가는 사람이 많아지면 그것이 곧 길이 되는 것이다.

지금 제 심정은 이 시와 똑같습니다. 아무도 나서지 않는다고, 힘들다고 회피할 수도 없습니다. 제가 갈 수 있는 만큼 가면 그만큼 세상은 진전할 것이고, 그다음은 누군가가 저를 이어 길을 가고 또 가면 되는 것입니다.

실패와 성공은 중요하지 않습니다. 포기보다 끝까지 도전하는 것이 인간의 고유 의지니까요. 헤밍웨이의 소설 《노인과 바다》에 나오는 노인처럼 그렇게 제 자신을 태워버리고 싶은 믿음이 이 책에 담겨 있습니다.

책을 출간해 준 미래사 고영래 사장님과 책을 내도록 끈질기게 빵을 든 채 사무실을 찾아와 마침내 이 귀찮은 작업을 유도해 낸 박지영 작가님, 요즘 시대에 손으로 직접 쓴 상형문자 같은 원고를 타이핑해 준 사무실 연구원들, '서포 15조' 개정 작업을 도와주신 지용범 님, 책이 나오기를 손꼽아 기다려 주신 앵그리블루 멤버들과 회원 모두에게 감사드립니다.

2020년 10월의 위대한 날에

황장수

추천의 글

       이 땅에 진정한 민주 정부라 할 수 있는 문민정부(김영삼)가 들어선 이후 4반세기가 지나갔다. 그동안 우파 보수 정부가 세 번(김영삼, 이명박, 박근혜), 좌파 진보 정부가 세 번(김대중, 노무현, 문재인)을 집권했으니 좌우 균형을 이룬 셈이다. 그 과정에서 대한민국은 국내총생산GDP으로 세계 10위(2019년), 1인당 국민소득 3만 달러 상회 유지 등 세계가 부러워할 만한 성과를 이뤄냈다. 하지만 그 외적 성과와 달리 내부 사회 구조는 선진사회의 그것과 한참 거리가 멀다.

    한국의 비전과 존재 이유는 '국민 대중을 위해 진정으로 행복한 사회를 건설하는 데' 있다. 이는 정부와 정치권이 성취해야 할 과제지만 대다수 국민은 현재 행복 없는 삶(세계 최고 수준의 국민 자살률), 무늬만 민주주의인 불균등·불공정·정의롭지 못한 사회, 소득 양극화(10 대 90 사회, 집 없는 국민 50%, 노인빈곤율 OECD 최고 수준), 부정부패 만연, 정권 교체에만 몰두하는 정치권(국민 행복에는 무관심), 끝없는 진영 논리 싸움을 진저리나게 겪고 있다.

4반세기 동안 좌우 정권이 몇 번 바뀌었음에도 불구하고 이처럼 정의롭지 못한 사회 현상이 지속되는 이유는 무엇일까? 보수 정권의 가치는 자유·경쟁·성장·작은 정부·낙수효과(고소득자)·친미일 등을, 진보 정권의 가치는 평등·인권·평화·분배·복지·큰 정부·분수효과(저소득자)·친북친중을 지향한다.

그러나 이것은 명목상의 가치일 뿐 실제로는 양쪽 모두 경쟁 억제와 기득권 옹호에 이해관계가 일치한다. 지금껏 좌우 정권은 국가 사회 내에서 더 이상 경쟁 없는 사회로 가기 위한 제도를 부단히 만들어 왔다. 이는 좌우기득권이 힘들게 얻은 권익을 자기 후예가 대대로 이어가길 바라고 경쟁에 따른 신분 순환을 더는 원치 않는 이해가 일치했음을 의미한다.

여당이든 야당이든, 진보든 보수든 현재의 정치 집단은 나라를 민주 사회로 유지·발전시키기 위해 노력하기보다 집권 그 자체에만 국력을 소비하고 낭비할 뿐이다. 이것은 좌우 정권 교체가 단순히 기득권 세력 교체에 불과하다는 것을 뜻한다.

건국 70년이 훨씬 지난 지금 한국의 외적 경제 여건은 세계 10위권 위상에 진입했으나 대다수 서민 대중은 경제적 어려움을 겪고 있고 기회균등, 과정 공정, 결과적 정의를 먼 나라 이야기로 여기고 있다. 실제로 한국은 국민행복지수가 OECD 국가 중 최하위권에 처해 있다. 좌우 정치세력이 곧 수구기득권인 한국에서 현재 진정 서민을 위한 정당은 없다고 봐도 무방하다. 좌우 정권 교체로 민주주의 발전과 공정 사회 실현을 기대하는 것이 거의 불가능한 이유가 여기에 있다.

이 엄중한 시기에 기존 여야 기득권층에 대항해 서민 대중을 위한 정치, 공정하고 정의로운 민주 사회를 이루고자 나선 선각자가 있다. 바로 〈황장수 뉴스브리핑〉의 황장수 미래경영연구소 소장이다. 그가 이번에 서민 대중과 올바른 정치인을 구독 대상으로 한《대재앙 시대 생존 전략 : 황장수-서포15조》를 펴냈다. 이것은 현 시대에 꼭 필요한 저서로 황 소장의 오랜 정치경험과 전문적인 정치평론 역량을 토대로 집필한 국가발전 지침서다. 그 내용을 간단히 소개하면 다음과 같다.

> **경제 분야:** 한국형 경제자본주의 구축, 일자리 창출, 저물가 실현으로 대중의 행복지수 증대(7개 조항)
>
> **정치 분야:** 노블리스 오블리주 정치 실현, 국민과 정부 간 신뢰체계 개선 (1개 조항)
>
> **사회 분야:** 공정한 경쟁 시스템 사회, 청렴 사회 실현(5개 조항)
>
> **외교·안보 분야:** 나라와 국민을 지키는 실리 외교·안보, 한미동맹 강화, 올바른 대북관 확립(2개 조항)

특히 경제 분야에서 다루는 국가적 주택공급제도는 현 정부 들어 비정상적으로 폭등한 부동산 가격 안정화, 실물경제 정상화, 서민의 삶의 질 개선, 인구절벽 해소, 코로나19 사태 조기 수습을 위해 꼭 필요한 제도다. 일종의 한국형 뉴딜정책인 이것은 '중산층, 서민층,

청년층에게 평당 700만 원 이하의 주택을 공급'하는 제도로 여야 기득권이 쌍수를 들고 반대할 가히 혁신적이고 획기적인 발상이다.

또한 황 소장은 '서포 15조'를 조기 실현하기 위해 서민 대중이 전폭 지지할 대한민국 최초의 서민 정당 창당을 기획하고 있다. 이 정당의 이념과 가치는 '대중의 의도에 부합하는 실질적인 보수, 최대 다수의 최대 행복 추구, 기회균등·과정 공정·결과적 정의를 중시하는 철저한 개혁가치 중심의 생활 정당'이다. 무엇보다 서민 대중의 삶의 질 개선과 정당의 가치 실현을 위해 좌우 수구기득권 세력에 철저히 맞서 투쟁할 계획이라고 한다. 이러한 가치는 기존 정당에서 전혀 찾아볼 수 없다.

부디 이번에 펴낸 《대재앙 시대 생존 전략 : 황장수-서포15조》가 한국 사회 구조를 질적으로 바꿔 놓는 길라잡이가 되어 한국 사회가 서민 대중이 행복한 곳으로 변모할 수 있기를 충심으로 기원해 본다.

2020년 10월

전 해태그룹 사장 지용범

차례

불안의 시대를 건너는
징검다리

이 책은 지난 몇 년간 끊임없이 머릿속을 맴돌던 고민을 모아 정리한 것이다.

1997년 IMF 사태와 2008년 금융위기를 겪으며 '도대체 왜 저런 일이 일어난 것일까?' 하는 의문이 가시지 않았다. 많은 경제학자가 2008년 금융위기는 1990년 초 사회주의 몰락 이후 세계를 지배해 온 신자유주의와 세계화의 한계를 드러낸 사건이라고 비판해 왔다. 정말로 신자유주의와 세계화가 종언을 고한 것이라면 세계는 2008년 금융위기와 남유럽의 재정위기 교훈을 되새겨야 했다. 두 번 다시 그런 일이 발생하지 않도록 누가 잘못해서, 어디가 고장이 나서 초유의 대형사고가 발생했는지 그 책임을 분명히 물어야 했다.

그러나 각국은 돈을 풀어 이 사태를 흐지부지 미봉했고, 이로써 위기가 끝날 것으로 착각했다. 몇 년 후 경제학자들은 세계경제가 이전처럼 회복되었다며 양적완화Qe: Quantitative Easing를 만병통치약처럼 생각했다. 미국은 경제가 호황이라고 고용이 회복되었다며 호들

갑을 떨었지만 미 연준이 양적완화를 축소해 가는 출구전략, 즉 테이퍼링Tapering을 시작하자 경제는 급속히 냉각되었다.

이때 외국과 유럽에서 본격적으로 포퓰리즘 정치가 등장하기 시작했다. 이전에도 독일 신나치 같은 극우 포퓰리즘이 있었지만 금융위기 이후 전 세계경제가 이전처럼 제대로 작동하지 않고 양극화 심화로 이민과 난민이 몰려오자 포퓰리즘 시대가 급속히 열렸다.

2016년의 두 이변이 가져 온 포퓰리즘 시대

2016년 두 가지 극적인 사건이 동시에 일어났다. 영국에서 브렉시트(유럽연합 탈퇴) 국민투표가 통과되고 미국에서 트럼프가 대통령에 당선된 것이다. 이 대단한 두 이변은 역사에 포퓰리즘 시대의 본격 개막을 알린 대사건으로 남으리라. 2017년 프랑스에서는 수십 년 역사를 자랑해 온 공화당과 사회당이 대선에서 참패하고 혈혈단신이었던 에마뉘엘 마크롱이 대통령에 당선되었다. 그 직후 총선에서 참패한 두 정당은 몰락의 길을 걷고 있다. 2017년 독일 총선에서는 독일을 위한 대안AFD 당이 13% 득표율로 89석을 차지해 원내 제3당이 되었다. 2019년 유럽의회 선거에서도 반난민, 반EU를 내세운 극우 포퓰리스트 정당이 171석을 얻어 승리했다. 2018년 이탈리아 총선에서는 포퓰리즘 정당 오성 운동과 극우 동맹이 총선에서 승리해 연정을 구성하는 데 성공했다.

이제 포퓰리즘 정치의 성공은 세계적인 추세인데 세계경제가 장기 불황에 빠지고 양극화가 심해져 난민·이민 문제가 불거지는 한 벗어날 방법은 없다. 여기에는 제2차 세계대전 이후 유럽 각국에서 교대로 집권해 온 중도좌우파 정당들이 기득권화해 문제 해결 능력과 대중의 신뢰를 상실했다는 점이 중요하게 작용했다. 더구나 2019년 말 중국에서 등장한 코로나19 바이러스는 불황과 저성장에 신음하던 세계경제에 치명타를 가하기 시작했다. 중국을 휩쓴 코로나19는 곧바로 전 세계로 퍼져나갔고, 특히 미국에서 가장 많은 확진자와 사망자가 발생했다. 지금까지도 코로나19는 확진자 3000만 명, 사망자 100만 명을 향해 무서운 속도로 질주하고 있다.

　　코로나19가 발생하자 각국은 급속히 폐쇄경제로 전환했고 신자유주의와 세계화 방식의 글로벌 공급 체인, 즉 세계적인 공급망을 자국 내로 이전하기 시작했다. 수출과 수입 등 무역 물량은 급속히 감소했고 사람, 자본, 물자 이동은 점차 차단되었다. 세계 각국이 백신과 치료제를 개발하기 위해 갖은 노력을 다하고 있지만, 2020년 말 이전에 궁극적인 해결책이 나올 가능성은 희박하다.

　　코로나가 마비시킨 세계경제는 극단적인 양극화와 계급사회를 더욱 심화하고 있다. 현 상황이 몇 년 이어지면 결국 세계경제는 대공황과 유사한 새로운 경제공황을 맞이할 수밖에 없다. 중국 등 세계의 약한 고리에 놓여 있는 국가가 먼저 막대한 부채 탓에 연쇄적 금융위기에 빠져들고, 이는 장기 불황과 코로나로 신음하는 세계경제에 치명타를 가할 전망이다. 이런 미증유의 위기를 해결해야 할 각국 정치인은 서민 대중의 고통보다 자기 잇속을 챙기기에 급급할 것이며, 생존 위기에 처한 대중은 결국 포퓰리즘에 깊이 빠져들어 정치체제에 저항하기 시작할 것이다.

이미 현대 민주주의는 고매한 이상과 달리 시간이 흐르면서 변질되고 왜곡되어 대중의 고통을 해결하기보다 기득권층 이해에 더 민감한 사이비 정치인을 양산하는 기구로 전락해 버렸다. 이렇게 기득권층의 일부가 되어버린 정치인에게 서민 대중을 위한 법과 정책, 제도 개혁을 요구하는 것은 한참 번지수가 어긋난 일이다.

지금은 서민 대중 스스로 정치의 주역이 되어 자신을 위한 정치 개혁을 요구해야 하는 시대다. 이미 장기 불황, 극단적 양극화, 코로나 전염병 창궐이 서민의 생존을 위협하면서 막다른 골목으로 그들을 몰아가고 있다. 더 잃을 것도 없는 서민들이 자신들의 미래를 스스로 설계한 프로그램이 바로 서포 15조이다.

이 책은 서민들이 직접 정치일선에 뛰어들어 자신의 운명과 미래를 설계하고 실행에 나설 과정을 설명하고 있다. 이런 생각은 어느 날 갑자기 하늘에서 뚝 떨어진 것이 아니라 10여 년의 고민과 1만여 회의 유튜브 방송, 20여 차례의 각종 집회, 수천 억 개의 댓글이 모아진 노력의 결정물이다.

'서민 포퓰리즘 15조(이하 서포 15조)'는 성장이 정체되고 고용이 사라지며 저소득이 보편화한 축소지향 미래 사회에 새로운 한국형 경제모델을 만들어 가기 위한 고민의 산물이다. 특히 서포 15조는 신자유주의, 세계화가 무너지고 현대 자본주의와 민주주의 효용에 의문이 쏟아지는 혼란의 시대를 극복하기 위한 고민을 담아내고 있다.

　우리는 지금은 다른 사람들의 삶이 무너지고 있지만, 머지않아 내 삶도 어디에서부터 무너질지 모르는 불안한 시대에서 살고 있다.

　서포 15조가 이 불안의 시대를 건너는 징검다리 역할을 할 수 있다면 더 바랄 것이 없겠다.

1부

포스트 코로나19

코로나19 이전의 세계 정치와 경제는
저성장, 양극화 확대, 보호무역으로의 회귀를 비롯해
신자유주의 붕괴를 불러왔다.

포스트 코로나19 시대에
요동치는 전 세계

인문학적 사고 능력의 부재

현대는 과거와 달리 손안의 스마트폰으로 많은 정보와 지식을 검색할 수 있는 시대가 되었다. 덕분에 계층과 신분에 관계없이 누구나 저렴한 비용으로 광범위한 지식에 접근하는 것이 가능해졌다. 많은 지성인은 이를 '전자 민주주의'라고 일컫는다. 또 정보 공유로 민주주의를 확산하고 빈부격차를 줄이는 시대가 열렸다고 평가하기도 한다. 현실은 어떨까? 실은 긍정적인 요소보다는 얄팍한 지식의 깊이, 대중의 사고 능력 마비, 주입식 지식 전파, 인문학적 사고 능력 부재, 획일화한 지식 공유라는 부작용이 더 난무하고 있는 실정이다.

세상의 변화와 역사에서 현재가 차지하는 의미, 미래 세상을 이해하려면 인문학적 사고 능력은 필수다. 이에 따라 우리는 인문학을 대량 소비하고 있지만 정작 개개인의 인문학적 '사고 능력'은 획일적·단편적인 주입식 지식수준에 머물러 있다.

물론 TV와 인터넷, 서점에는 수많은 인문학 강의와 책들이 홍수를 이루고 있다. 그렇지만 인문학은 대학 입시학원 형태의 주입식 교육으로 인스턴트처럼 단기간에 완성할 수 있는 게 아니다. 아이러니하게도 그러한 특징이 풍요 속의 빈곤을 낳고 있다. 인문학 풍년 시대가 되레 인문학 부재를 양산하는 꼴이 되고 말았다. 인문학적 지식체계를 갖춰야만 현상을 제대로 이해할 수 있는 능력이 생기는데 참으로 안타까운 일이다.

세계 석학들의 무력함

많은 사람이 이 시대의 의미를 제대로 이해하지 못하고 있다. 세계적 석학이라 불리는 유명한 대학 교수나 학자들조차 인류 문명에서 현시대가 차지하는 위치를 제대로 이해하는 경우가 극히 드물다.

세계 금융위기, 트럼프 당선, 영국 브렉시트, 전 세계 포퓰리즘 현상, 코로나19 충격, 중국의 붕괴 위기 같은 이례적인 현상 앞에서 세계 석학들의 지혜는 너무나도 무기력하다. 지식을 바탕으로 제대로 된 예측을 하려면 시대 변화 요인을 포착하는 한편 과거 역사가 미래에 어떤 영향을 미칠지 냉철하게 분석해야 한다. 그렇지만 현실에서 소위 잘나가는 교수나 학자들은 자신을 둘러싼 여러 이해관계에 얽매이기 일쑤다. 그러다 보니 제대로 된 현실 분석이 나올 리 없다.

우리 시대는 급격한 기술문명 발달로 외형상 인류 문명 출범 이후 최고 수준의 삶을 누리는 것처럼 보인다. 그렇다면 내면은 어떠할까? 진실을 말하자면 자유민주주의와 자본주의는 내면적으로 커다란 위기에 봉착해 있다.

우리는 흔히 자유민주주의와 자본주의 자유 시장 경제체제를 인류가 만든 최상의 제도적 시스템이라고 생각한다. 특히 1991년 구소련과 동구권 사회가 붕괴된 이후 이런 사고가 한동안 대세로 작용했다. 나아가 사람들은 경제적인 측면에서 사람, 상품, 돈이 마음대로 국경을 넘어 이동하는 '신자유주의'와 '세계화'로 모든 나라가 이익을 얻고 민주주의가 계속 발전해 갈 것으로 기대했다. 실제로 인터넷, SNS, 스마트폰 발달은 2011년 북아프리카의 재스민 혁명과 금융시장에 큰 영향을 미쳤고, 사람들은 이를 독재자를 물리치고 민주화를 완성하는 '도구'로 인식했다.

또한 우리는 4차 산업혁명이 인류에게 새로운 일자리와 풍요를 안겨 줄 것이라고 기대했다. 세계 각국의 정치인들은 마치 유행처럼 앞 다퉈 4차 산업혁명을 낙관적으로 언급했다. 그러나 2008년 금융위기 이후 10여 년이 훨씬 지난 지금 세상은 그 예측대로 돌아가지 않고 있다. 오히려 경제 불평등이 심화하고 세계 각국 민주주의가 잘 작동하지 않아 퇴행하는 나라가 늘고 있는 형편이다. 신자유주의와 세계화가 모두에게 행복을 가져다주는 것이 아니라 소수만 행복하고 다수는 불행해지는 시대를 만드는 것이 아닌가 하는 우려마저 커지고 있다.

너나없이 목소리를 높여 4차 산업혁명을 외치지만 자칫하면 1, 2차 산업혁명처럼 일자리 창출이 아닌 일자리 소멸로 이어질 가능성도 있다. 그 불길한 현상은 이미 3차 지식정보화 산업혁명 때부터 나타났다. 컴퓨터와 인터넷 등장으로 일자리가 수도 없이 많이 사라지는 현상을 보면서 우리는 기술문명 발달이 인류 다수의 행복한 미래와 일치하지 않을 수 있다는 교훈을 얻었어야 했다. 그런데 그러기는커녕 사회지도층과 유명 지식인이 모두 4차 산업혁명을 외치면서(그들 중 4차 산업혁명의 의미를 제대로 아는 이가 얼마나 될지 의문이지만) 대중은 영문도 모른 채 그냥 수긍하는 꼴이 되었다.

신자유주의와 세계화의 몰락

신자유주의와 세계화도 마찬가지다. 대중은 정치지도자와 석학(급)들의 주장을 무비판적으로 수용해 왔다. 그 결과 많은 나라에서 제조업과 관련된 탄탄한 일자리가 하루아침에 소멸되고, 질 낮은 서비스업 일자리만 우후죽순처럼 생겨났다.

어릴 적 나는 부산 범천동에서 살았다. 당시 나는 아침마다 근로자들이 줄지어 인근 공장으로 일하러 가는 모습을 매일 보았다. 하지만 지금은 그때처럼 근로자들이 줄을 지어 일하러 가는 모습을 어디에서도 찾아볼 수가 없다. 대신 그 자리를 구직과 실업급여신청, 그리고 자영업자 긴급자금지원 대열이 차지하고 있다.

기술 발전이 모든 인류에게 행복을 제공할 것이라는 유토피아적

믿음은 이제 디스토피아를 우려하는 쪽으로 기울고 있다. 한때 해외에 나가 한국 승용차나 기업 선전 광고판을 보면 마치 내가 그 회사 사주라도 된 양 가슴이 뿌듯하던 시절도 있었다. 그런데 신자유주의와 세계화가 극대화한 현재 시점에 한국 최대 기업은 겨우 20만여 명을 고용하고 있는 실정이다. 그 기업 사무직에 들어가면 마치 과거 고시에 합격한 것처럼 기뻐할 정도다.

금융위기 직후 미국에서는 '월가 점령 운동Occupy Wall Street'이 들불처럼 번져 나갔다. 한국 보수진영은 이것을 '좌파 사회주의자의 데모'로 취급했고, 이 시위는 1~2년 뒤 사그라졌다. 그러다가 2016년 미국 대선에서 이 시위의 잔불이 되살아나기 시작했다. 대표적인 두 포퓰리스트 정치인 버니 샌더스와 도널드 트럼프는 대선이 끝난 뒤에도 이를 이어갔다. 한국에서는 두 사람을 극우와 극좌로 해석하지만, 사실 이 둘은 동전의 양면처럼 이란성 쌍둥이나 다름없다. 실제로 이들의 요구를 보면 여러 가지 면에서 서로 일치한다.

북유럽, 남유럽, 독일, 영국, 프랑스를 휩쓰는 극우·극좌 포퓰리즘 운동이나 포퓰리즘의 극성도 마찬가지로 해석해야 한다. 특히 포퓰리즘의 극성은 금융위기 이후 악화한 각국 서민층 삶의 조건과 미래 희망 부재에서 비롯되었다.

1990년대 이후 신자유주의와 세계화라는 미명 아래 이뤄진 전 세계 차원의 제조업 분업화(소위 글로벌 서플라이 체인Global Supply Chain)는 서구 각국의 산업 공동화를 가속화했다. 이때 초다국적 기업과 다국적 자본, 기술 대기업은 세계를 넘나들며 자신들의 이익만을 실현했다. 이로 인해 슈퍼 캐피털리즘Super Capitalism 체제가 각국 정치를 지배하기 시작했다. 이는 거대 자본이 각국 정부, 의회, 고위관료, 언론, 여론 생산기관을 장악해 그들의 이해관계에 따라 지배하는 시스템을 말한다. 멀리 갈 것 없이 한국만 봐도 답은 나온다. 역대 좌·우파 정권을 막론하고 대기업과의 유착은 이 나라를 혼란에 빠뜨리기 일쑤였다.

미국 금융위기도 마찬가지다. 이것은 저신용자에게 서브 프라임 모기지론(비우량 주택담보대출)을 무분별하게 허용한 것이 그 출발점이다. 미국 주택담보대출 은행과 월가 투자은행, 보험사는 이 채권을 쪼개고 합쳐 구조화 금융상품으로 만든 뒤 전 세계에 팔아댔고, 이는 금융위기라는 대형 사고로 이어졌다. 당시 미국 정부가 초대형 사고를 친 투자은행과 보험사를 국민의 세금으로 구제하면서 초유의 인재에도 불구하고 금융위기의 책임을 지고 교도소에 간 사람은 단 한 명도 없었다. 미국 백악관·행정부와 월가 사이에 회전문이 있어 양쪽 고위관료나 고위임원이 서로 자리를 바꿔가며 왕래하다 보니 책임을 묻기보다 국채를 발행해 메꿀 수밖에 없었을 것이다.

사실 금융위기는 클린턴 전 대통령 재임 시 월가와의 유착으로 빚어진 대참사다. 클린턴 행정부는 대공황 당시 상업은행과 투자은행을 엄격히 분리한 글래스-스티걸 법을 폐지하면서 그 단초를 제공했다. 이는 현대 슈퍼 캐피털리즘의 본질을 그대로 드러낸 사례다. 신자유주의와 세계화로 전 세계 차원에서 슈퍼 캐피털리즘을 완성한 일은 각국의 일자리 소멸을 비롯해 금융위기와 불평등을 심화하는 원인이 되었다. 이는 자국 내에서의 소비와 투자 감소, 임금 상승을 유발했고 본국 재성장이 실업 만연과 소득 양극화로 이어지는 시대를 초래했다.

한국의 기득권 보수는 신자유주의와 세계화를 마치 신줏단지처럼 모시면서 슈퍼 캐피털리즘이 역대 정권을 무너뜨린 것을 애써 부인한다. 나아가 이를 언급하면 좌파라며 공격을 한다. 이는 한국 보수진영 다수가 기득권 논리에 얼마나 사로잡혀 있는지를 보여 주는 좋은 사례다.

포퓰리즘과 좌파 선동은 다르다

최근 한 저명한 학자는 칼럼 〈코로나가 권력을 좌측으로 밀었다〉에서 "포스트 코로나 시대에 세계 국가들은 탈세계화 내지 적정 세계화로 유턴하고 있다. 큰 정부와 좌파 정권에 기회의 창이 열렸다. 여기에 한국형 좌파 모델이 화합하기를 기대한다"며 한국 좌파가 의료복지고용 체계에서 승리한 것처럼 묘사했다. 심지어 진짜 좌파 시대가 열렸다고 역설하기까지 했다. 이 얼마나 삼류영합적·기회주의적 발언인가. 정말 그렇다면 따지듯 묻지 않을 수 없다.

트럼프나 영국 독립당이 좌파라서 대선에 승리하고 브렉시트에 찬성했는가?

반세계화를 좌파라 해석하는 이유는 지식인을 자처하지만 실은 다양한 분야의 지식을 활용하는 능력이 떨어지기 때문이다. 작금의 반세계화 풍조는 좌파 가치가 아니라 '극우'로 해석할 수 있는 미국 트럼프 지지층, 즉 백인노동자 계층White Working Class과 유럽의 소외된 젊은 계층에서 똑같이 세계화 반대, 보호무역 회귀, 브렉시트로 나타나고 있다. 극우에 속하는 미국 트럼프 지지층과 세계화·신자유주의 과정에서 피해를 본 유럽의 소외된 젊은 계층이 세계화에 반대하는 이유는 단순 명쾌하다. 바로 세계화가 초래한 불이익 때문이다.

실제로 그들은 세계화 이후 자신들이 근무하던 제조업 공장이 해외로 이전하면서 실업자가 되거나 해외에서 값싼 이주 노동력이 밀려와 서비스업 분야까지 임금이 낮아지는 현상이 발생해 피해를 보고 있다. 그뿐 아니라 세계 각국에서 들어온 막대한 저금리 자본이 부동산 투기를 불러일으켜 부동산 가격까지 상승하고 말았다. 그 탓에 미국과 영국의 대도시 노동자 계층은 주거비용이 급상승해 압박을 받았다. 이런 일이 켜켜이 쌓이면서 영국의 쇠락한 주변부 도시민은 똘똘 뭉쳤고, 결국 런던 중심의 고소득·고학력 엘리트 계층이 원하는 EU 잔류를 부결하는 사상 초유의 사태가 발생했다.

미국에서는 농촌의 농부와 '러스트 벨트(미국 중서부와 북동부 지역의 쇠락한 공장지대)'라 불리는 쇠락한 공업도시 노동자가 단합해 정치적 이단아인 트럼프를 당선시키는 이변이 벌어졌다. 신자유주의와 세계화의 피해자인 노동자·농민의 반발에다 뉴욕 월가, 수도 워싱턴의 금융자본가나 정치인의 위선·가식을 향한 증오가 미국 서민의 저항을 불러온 것이다. 이는 서민들이 경제위기 외에 상류층의 부도덕한 부패 커넥션에 따른 문화적 저항과 반발로도 분노를 표출할 수 있음을 보여 준 사례다.

프랑스에서 정당 없이 무소속으로 대선에 나선 30대의 마크롱이 사회당·공화당·극좌·극우 후보를 모두 제치고 당선된 것도 기득권 정치를 향한 포퓰리즘 식 저항으로 봐야 한다. 이처럼 전 세계에서 서민들의 광범위한 저항이 일어나 바야흐로 포퓰리즘이 성행하고 있다.

이 책을 쓴 배경이 바로 여기에 있다. 저성장 고착화, 세계화, 극대화한 양극화로 포퓰리즘이 성행하는 세상에서는 근로자들이 받을 충격이 차고 넘칠 수밖에 없다. 이는 전 세계에 경제 대공황을 불러오는 계기로 작용해 포퓰리즘이 더욱 성행하게 만드는 연쇄 상승효과를 일으킨다.

현대인은 대개 포퓰리즘을 '대중의 인기에 영합해 소통하는 정치'로 해석한다. 그러나 본래 포퓰리즘은 '대중의 견해와 바람을 대변하는 정치활동과 사상'을 의미한다. 정치가 기득권을 쥔 몇몇 상류층의 이해를 대변하기보다 서민 대중의 이해를 존중해야 한다는 것은 지극히 당연한 일이다. 그런데 오늘날 사람들은 자신의 권력욕과 탐욕, 이념 지향을 위해 대중을 선동해서 정치 목적을 달성하려는 음모를 포퓰리즘이라 부르면서 포퓰리즘을 모독하고 있다.

내가 서민 대중의 견해와 바람을 대변하기 위해 만든 '서민 포퓰리즘 15조'는 오랜 고민 끝에 탄생한 것이다. 10년 동안 한국 사회의 고질적 문제는 무엇이고 또 그 해결책과 대안은 무엇인지 고민하며 거듭 수정하는 과정을 거쳐 2019년 6월 나는 앵그리블루 홍대 2차 집회에서 그 내용을 발표했다. 코로나19 이후 삶의 모든 방식과 가치 기준이 바뀌어버린 현실에서 '서포 15조'가 함께 살아가는 세상의 등대 역할을 할 것으로 믿는다.

멀쩡한 국가와 대륙이
거의 사라진 세계

신자유주의 붕괴

코로나19 이전의 세계 정치와 경제는 저성장, 양극화 확대, 보호무역으로의 회귀를 비롯해 신자유주의 붕괴를 불러왔다. 이는 지난 30여 년 이상 세계를 지배해 온 경제 질서가 총체적으로 붕괴될 정도의 국면이다. 특히 세계 수출의 14%를 차지하던 중국경제가 급격히 흔들리면서 2019년 방어선이던 공식 성장률 6%마저 깨졌다. 실제로 숨은 그림자 부채를 포함해 중국의 중앙·지방 정부 부채, 공·사 기업 부채, 과잉 시설투자로 경제가 붕괴하고 있다는 불안감마저 번지고 있다.

미국 역시 트럼프 이후 고용률이 상승하고 실업률이 하락했다는 '호황설'은 사실상 서비스직 같은 저임금 일자리가 확대된 것에 불과하다. 그 내막을 보면 중산층을 두텁게 해 줄 제조업 중심의 일자리 감소, 노동자의 실질임금 하락, 심각한 제조업 공동화 현상이 눈에 들어온다. 이에 따라 트럼프는 리쇼어링Reshoring 정책을 내세워 해외에 진출한 자국 기업의 국내 회귀를 촉구하고, 미국 시장에서 돈을 버는 수출 기업에 미국 내에 일자리를 창출할 공장을 지으라고 압박했다. 여기에다 멕시코 국경에 장벽을 설치하는 등 저개발국의 값싼 노동력이 미국으로 유입되는 것을 차단했다. 그뿐 아니라 각종 자유무역협정과 다자간 무역협정을 거부하고 보호무역으로 급속히 회귀하는 한편 미중 무역전쟁을 벌였다. 한마디로 미국은 전통 개입주의를 포기하고 고립주의로 회귀했다.

이처럼 트럼프는 보호무역, 국경 통제 강화로 해외의 저임금 노동자의 유입을 금지하고 '자국 우선주의'를 최대 가치로 삼는 동시에 세계 경찰 역할을 포기하기에 이른다. 미국 국민 중 다수의 백인노동자 계층과 서민층은 '자국 우선주의'를 선호한다. 현 상황을 보면 이런 현상은 누가 미국 대통령이 되어도 지속될 수밖에 없다.

영국의 브렉시트를 둘러싸고 혼란이 이어진 유럽에서는 저성장, 양극화, 고실업률로 남유럽·북유럽·동유럽에서 모두 극우와 극좌가 득세했다. 헝가리, 폴란드 등 동유럽에서는 권위주의 정치가 부활해 파시즘 우려까지 등장했다. 유럽 어디에서도 EU의 미래를 향한 희망보다 비관이 넘쳐나며 이것은 그저 하나의 '이상적인 국가연합모델'일 뿐이라는 현실적 관점이 생겨나고 있다.

전 세계 인구 40%, 면적 30%에다 한때 세계경제 23%를 차지한 신흥5개국(BRICS: 브라질, 러시아, 인도, 중국, 남아프리카공화국)도 세계경제성장을 견인하기보다 저성장, 고실업률, 정치 불안, 저유가, 양극화로 금융위기 직후의 호황이 끝나고 위기를 맞고 있다. 세계에서 늘 잘 나가던 독일과 일본에서도 반짝 호황이 끝나고 저성장의 먹구름이 밀어닥쳤다.

이제 멀쩡한 국가나 대륙은 거의 사라졌다. 이와 함께 세계 주요국 정치는 스트롱맨이 지배하는 권위주의 체제로 치닫고 있다. 이는 '민주주의는 끝없이 긍정적으로 발전할 것'이라는 낙관주의가 무너지고 경제 불안이 닥치면서 권위주의 정치인과 포퓰리스트를 불러들인 결과가 되고 말았다.

왜 스트롱맨 지도자가
득세하는 걸까

'전간기'로의 회귀

현재 전 세계의 경제와 정치 질서는 제1차 세계대전이 끝나고 제2차 세계대전이 시작되기 전인 1920년대 말 1930년대 초의 세계 질서와 유사하다. 이른바 '전간기'로의 회귀인 셈이다. 부와 소득 분배가 극단적으로 양극화하고, 국민 다수가 가난해 소비여력이 없어 과잉 공급과 투기가 넘치던, 1929년 10월 24일 뉴욕 월가의 주가 대폭락(최근 코로나 대폭락이 이를 능가했다)으로 시작된 대공황은 1933년 무렵 유럽과 세계 모든 국가를 덮치며 세계 대공황으로 번졌다. 공황의 여파가 으레 그렇듯 그 충격은 1939년 제2차 세계대전 직전까지 이어졌다. 이를 견디다 못한 후발 제국주의 국가, 즉 식민지가 적고 자원이 부족한 국가 중 일부가 파시즘으로 빠져들었고 이들이 독재주의나 군국주의로 회귀하는 바람에 결국 제2차 세계대전이 벌어졌다.

이 전간기에는 미국 대공황 발생 이후 세계무역량이 반 토막 나면서 각국이 자국 우선주의의 보호무역으로 회귀했다. 각 나라는 과잉생산과 고실업률로 몸살을 앓았고 이것이 재고 급증, 물가 폭락, 생산·투자·소비 축소로 이어지면서 각국의 경제활동 마비나 급격한 축소를 불러왔다. 그런데다가 부도로 도산한 기업이 속출해 나라별로 실업자가 30~50% 급증했다. 이는 30년쯤 전의 생산수준으로 전 세계 산업국은 대부분 경제순환주기에 따른 자동적인 경제 회복 능력을 상실했다.

특히 독일은 제1차 세계대전에서 패배한 책임을 지고 막대한 배상금을 물어내느라 경제적 곤경에 빠지고 말았다. 무엇보다 심각했던 점은 일자리 부족으로 인해 파업 노동자 시위가 일상이었다는 것이었다. 새로 탄생한 바이마르공화국은 공산주의, 민족주의, 극우파, 군부·노동자 정당 등 다양한 세력이 서로 대립하면서 경제가 무너져 갔다.

1923년, 예산이 부족해 마르크화를 마구 찍어낸 이들은 하이퍼인플레이션이라 불리는 기록적인 물가 상승을 겪었다. 이후 경제는 안정되기 시작했지만 곧이어 대공황이 닥치면서 국가가 파산 지경에 이르렀다. 바로 그때 등장한 인물이 히틀러다. 독일 국민의 고통과 불만을 해결해 줄 영웅으로 등장한 그는 독일은 땅이 좁고 오염된 데다 자원이 부족하다며 새로운 영토를 만들고자 했다. 나아가 '전쟁 배상금'이라는 고통을 안겨 준 전승국에 복수할 것을 다짐했다.

일본도 마찬가지였다. 경제 불황으로 식량난이 이어지자 식량과 자원 부족을 타결하기 위해 만주사변과 중일전쟁을 일으킨 일본은 미국의 경제보복을 받으며 복수를 다짐했다. 제1차 세계대전 전승국인 이탈리아 역시 실속 없는 승리 탓에 중산층과 서민의 불만이 폭증했다. 또한 노동자, 농민의 사회주의화 경향으로 정치적 소요와 대립이 극심했다. 이런 상황에서 사회주의와 민족주의를 선동과 협박을 교묘하게 결합한 무솔리니가 대외적으로는 식민지 획득 팽창주의, 대내적으로는 사회주의를 내세우며 정치적 혼란에 지친 민족주의자들의 지지를 얻었다. 이후 본격적인 파시즘 성향을 드러내며 선동과 협박으로 권력을 장악한 무솔리니는 대공황에 따른 국제무역 감소와 불황을 타개하고자 아비시니아(에티오피아)를 침략해 경제 회복을 꾀했다.

곰곰 따져보면 제2차 세계대전의 원인은 팽창주의를 자극한 대공황에 있었다. 그런데 정작 대공황을 해결해 준 것은 뉴딜이나 파시즘이 아니라 전쟁으로 늘어난 수요와 일자리, 제조업 생산 확대였다.

제1차 세계대전 말기 봉건 제국주의 국가이자 후발 산업국이던 러시아에서 공산혁명이 일어났다. 사실 레닌이 러시아에서 세계 최초로 공산혁명에 성공한 것도 공산주의 이론과 상당히 괴리된 이변이다. 산업구조 고도화로 노동자가 붕괴된 사회에서 공산혁명이 일어날 것이라는 마르크스-레닌 이론과 달리 저개발 농업 국가 러시아에서 혁명이 일어났으니 말이다. 러시아 공산혁명은 독일, 일본, 이탈리아 같은 후발 제국주의 국가의 노동자를 자극했고 그 반작용으로 이들 나라에서 파시즘적 전체주의 독재가 일어났다.

오늘날 트럼프, 푸틴, 시진핑, 아베, 보리스 존슨, 마크롱 같은 스트롱맨 지도자가 세계 주요국을 이끄는 현상 또한 대공황 이후 전간기의 세계 흐름과 비교해 볼 필요가 있다. 저성장, 고실업률, 양극화, 피폐해진 제조업은 기득권 사회지도층을 향한 광범위한 불만과 삶의 조건에 따른 불안을 낳고 있다.

이것은 각국에 포퓰리즘 경향을 불러오고 있고 이에 발맞춰 권위주의적 스트롱맨 지도자가 득세하고 있다. 이러한 권위주의 지도자 대두와 세계경제 불안은 민주주의를 후퇴시키는 한편, 대중으로 하여금 극우·극좌 같은 선동정치세력이 득세할 수밖에 없는 정치·사회적 선택을 하도록 만들었다.

페스트가 불러일으킨
뜻밖의 변화

코로나19와 유사한 중세 유럽에 유행했던 페스트

역사적으로 코로나19와 가장 유사한 질병은 중세 유럽에 유행했던 페스트다. 14세기 중반 몽골군을 따라 아시아에서 유럽으로 유입된 페스트균은 곧장 유럽 전체로 퍼져 나갔다. 당시 페스트의 영향으로 유럽 인구의 30~50%가 감소했고, 1000년 동안 그럭저럭 유지되어 온 중세 유럽은 하부 기반부터 철저히 무너졌다. 2020년 코로나19처럼 페스트에 집중 희생된 사람들도 하층 계급이었다. 흥미롭게도 이탈리아 작가 보카치오의 단편소설 《데카메론》은 페스트가 범람하던 시기에 균을 피해 피렌체 교외로 피난을 간 귀족들의 이야기를 다룬 작품이다.

2020년 전 세계 코로나19 유행에서 글로벌 계급 차이는 더 심하게 나뉘었다. 가령 부유층은 산속 별장이나 휴양지, 리조트에서 호화 휴가를 즐기는 반면 빈곤층은 코로나19로 사망하거나 생명의 위협을 받았다. 중세 유럽 페스트가 농노 계층을 집중 공격했듯 코로나19 사망자 비율을 보면 공교롭게도 흑인이 압도적으로 높다. 어쩌면 이것은 코로나19 신新카스트(인도의 신분제도) 완성을 의미하는 것인지도 모른다.

14세기 무렵 4억 5000만 명에 달하던 세계 인구는 페스트 이후 3억 5000만 명으로 줄었고, 특히 유럽에서 인구의 절반 정도가 사망했다. 그 피해는 위생과 건강 상태가 열악하고 이동이 어려운 소작농과 농노 계층에 집중되었는데 이들 계층이 급감하면서 봉건제는 빠른 속도로 무너졌다. 하층 노동력이 감소해 임금이 몇 배로 상승하면서 영주들이 파산하자 중세가 붕괴되기 시작한 것이다. 농민 반란, 즉 영주와 농민 간의 충돌이 이어지다가 농민 전쟁으로 확산된 것도 여기에 한몫했다. 한마디로 페스트가 중세 사회 몰락을 촉진한 셈이다.

이후 유럽은 농노제가 아닌 '자유노동 체제'로 바뀌었고 영주·귀족의 부와 권력은 줄어들었다. 그때 자유를 얻은 농노들은 땅에 얽매이지 않고 영지를 떠나 도시로 가서 장인이 되거나 자기 책임 아래 농사를 짓는 소작농으로 거듭났다. 이 과정을 거쳐 중세 봉건주의가 완전히 무너지면서 그야말로 새로운 시대가 열렸다.

대교역 시대를 열다

페스트를 '신의 형벌'로 부르며 종교적 맹신에 사로잡혀 마녀사냥을 일삼던 교회는 신뢰를 상실하고 대중적 지지를 잃었다. 그 무렵 새로 떠오른 상인과 장인 계급을 중심으로 신神 중심 세계관이 아닌 인간 중심 세계관이 일어났고, 이는 이탈리아 중부도시 피렌체 등지에서 르네상스 운동으로 번져갔다. 신이 아닌 인간세계 탐구는 모험욕구를 자극해 '대교역 시대'를 열었다.

페스트가 유행하던 시절, 배에서는 쥐 등이 옮긴 병균으로 사람들이 죽는 일이 많아 대부분 장거리 항해를 꺼렸다. 그러다가 페스트 이후 발달한 항해술 덕분에 이슬람의 각종 향신료가 이탈리아 베네치아와 제네바공국으로 전해졌다. 이때 이탈리아 해안 공국들은 서유럽과 동유럽의 진기한 물품을 중개하는 무역으로 막대한 부를 축적했다. 이렇게 축적한 부는 결국 르네상스 운동을 꽃피웠다. 15세기 들어 남유럽 국가들이 직접 향신료를 구하기 위해 바닷길 개척에 나서면서 대교역 시대와 신대륙을 개막했다.

처음 겪는 코로나19 사태 앞에서
허둥대는 지구촌

종말을 향해 당긴 방아쇠

중세 몰락에 페스트가 기여한 것처럼 코로나19는 세계화 붕괴에 결정적 역할을 하고 있다. 신자유주의와 세계화에 따른 기술문명 발달이 일자리 감소와 소득 하락을 유발해 전 세계가 장기 저성장, 양극화 심화, 고실업률에 시달리고 있을 때 코로나19가 이 시대의 종말을 향해 방아쇠를 당겼다는 얘기다.

코로나19 이후에는 경제·정치·사회 측면에서 새로운 특징이 등장한다. 경제 측면에서는 탈세계화, 신자유주의 붕괴, 탈중국화, 성곽경제, 극심한 보호무역이 대두한다. 정치 쪽에서는 포퓰리즘이 성행하고 일부 나라에서 파시즘 시대가 도래하며, 대중을 선동해 그들의 분노를 악용하는 시대가 열린다. 사회적으로는 빈곤이 보편화하고 광범위한 대중 저항 시대가 열리며, 각국에서 기본소득을 본격 논의한다. 트럼프나 문재인 정부가 코로나19를 핑계로 국민에게 뿌린 재난기본소득도 이 범주에 속한다.

하지만 '코로나19' 이후 새로운 정치 방향을 모색하는 일은 포퓰리즘 성행 속에서 광범위한 정치·사회적 합의가 지연돼 끝없이 표류할 가능성이 크다. 실제로 전대미문의 세계 보건위기 앞에서 세계 석학들은 2008년 금융위기 때와 마찬가지로 각국이 연대해 위기를 극복해 나가야 한다고 주장하지만, 세계는 오히려 더 분열하고 있다. 2008년 금융위기 때 세계 각국은 G20이라는 공동연대 기구를 만들어 공동 관세 인하, 환율 합의, 자유무역 강화를 이끌어냈으나 이번에는 다르다. 그런 조짐은커녕 코로나19 발생 책임을 둘러싸고 미국, 독일, 영국, 프랑스 등 서방국가가 함께 중국을 공격하고 있다.

이미 코로나19 이전에 미국과 중국은 향후 세계 패권을 둘러싸고 무역전쟁을 본격화했다가 3년간의 논란 끝에 가까스로 각자의 필요에 따라 적당히 봉합한 바 있다. 그런데 코로나19 사태 이후 셧다운Shut Down과 사회적 봉쇄 속에서 1930년대 대공황기에 근접할 만큼 실업률이 20%를 넘어서자 트럼프는 강경 자세로 돌아섰다. 2020년 11월 대선을 앞두고 지지율이 하락한 트럼프가 다시 중국 책임론을 거론하며 코로나19 피해액 수조 달러를 배상하라고 중국에 요구한 것이다. 특히 트럼프는 자신이 3년간 쌓은 경제적 업적을 중국의 코로나 바이러스가 망쳤다며 중국과의 재협상이 아닌 책임론 제기에 집중했다. 이는 코로나19에 따른 미국과 세계의 경제위기가 단기간에 회복하지 못하는 'L자형' 내지 '나이키형'일 것이라는 예측에서 나온 행동이다.

포스트 코로나19

　2020년 5월 13일 IMF 총재 크리스탈리나 게오르기에바도 코로나19가 예상보다 더 많은 나라에 타격을 가하는 바람에 각국 경제가 받은 충격이 상상 이상일 것이라고 평가했다. 당초 IMF는 "2020년 하반기쯤 코로나19 팬데믹(대확산)이 사라지면서 각국이 봉쇄조치를 해제하고 경제가 점차 회복될 것"이라고 판단했다. 그러나 얼마 지나지 않아 이들은 "코로나19가 2021년까지 지속되어 2020년 GDP가 6% 정도 하락하고 2021년에는 최대 15%까지 성장률이 하락할 것"이라는 비관적인 전망을 내놓았다.

　미 연준Fed 의장 제롬 파월도 2020년 5월 13일 "향후 코로나19로 인해 경제상황이 매우 불확실하고 심각한 추락 위협에 직면할 수 있다"고 경고했다. 나아가 그는 "의학적 통제, 즉 백신과 치료제 개발이 빨리 이뤄지지 않아 경제 회복 속도가 원하는 것만큼 빠르지 않을 수 있다"는 점을 우려했다. 그런데 2020년 11월 대선에서 패배할까 두려워한 트럼프가 초조한 마음에 미국 47개 주의 조기 봉쇄해제를 결정하자 미국 국립알레르기·전염병연구소 소장 앤서니 파우치는 2020년 5월 12일 미 상원 청문회에서 이렇게 말했다.

　　빠른 봉쇄해제는 피할 수 있는 고통과 죽음을 가져올 뿐 아니라 경제 회복을 늦출 가능성이 있고, 너무 빠른 정상화가 통제 불가능한 확산의 방아쇠가 될 위험이 있다.

의학의 관점에서 조기 봉쇄해제가 이미 400만 명이 감염되고 20만 명이 사망한 미국의 코로나19 피해를 더 키울 것이라는 우려를 보인 것이다. 과연 코로나19는 전 세계에 어떤 영향을 미칠까?

첫째, 전 세계에 2년 이상 동시다발적이면서도 넓고 깊게 경제적 충격을 안겨 준다.

둘째, 세계화 이전 시대인 1930년대의 대공황과 차원이 다른 경제적 충격을 전 세계 모든 나라에 골고루 준다.

셋째, 인류가 처음 동시다발로 겪는 경제적 충격은 전 세계에서 생산, 수출, 수입, 소비, 투자 감소로 이어져 '세계경제 대공황'이 발생할 가능성을 높인다.

넷째, 사상 초유의 위기를 극복할 국제기구의 대응이나 세계 주요 국가의 연대는 무력화하고, 오히려 코로나19 책임을 둘러싼 충돌이 격화한다.

포스트 코로나19 시대의
정치 변화

양적완화에 따른 착시 현상

코로나19 이전에도 세계경제를 지배한 것은 경제적 장기침체와 저성장, 양극화, 고실업률이었다. 2008년 금융위기의 충격을 받은 세계경제는 이후 무제한 돈 풀기, 즉 양적완화로 되살아나는 듯 보였으나 사실상 그 경제 회복은 실체가 아니라 환상이자 신기루였다. 2013년부터 세계가 시중에 뿌린 돈을 회수하는 출구 전략, 다시 말해 테이퍼링을 실시하자 곧바로 경기침체 기미가 보이기 시작했다. 실업률 하락과 제조업 지표 개선 현상은 '수치' 자체가 양적완화에 따른 착시 현상에 불과했던 셈이다. 시중에 유례없는 돈을 푼 덕분에 경제가 일시적으로 살아난 듯한 '모르핀 효과'가 나타나자 이를 실제 회복이라고 착각했다는 얘기다.

사실 금융위기 이후 양적완화로 미국에서 새로 생긴 일자리 중 70% 이상은 고졸 이하면 누구나 할 수 있는 직종이고, 2년제 이상

대졸자를 필요로 하는 직장은 15%에 불과했다. 쉽게 말해 새로 생겨난 일자리는 대부분 누구나 할 수 있는 연봉 2만~3만 달러짜리 저임금 서비스직이었다. 반면 중간소득 이상 일자리는 대폭 줄었는데 그중에서도 연봉 5만 달러 이상의 괜찮은 제조업 일자리는 크게 줄었다.

미국은 2008년 금융위기 이후 2014년까지 6000조 원 이상의 돈을 살포했다. 외형상 미국경제는 회복 기미를 보였으나 실제로 이는 실물경제 회복이 아니라 돈 뿌리기가 빚어낸 착시 현상에 지나지 않았다. 그 결과 전 세계 중산층과 서민의 삶은 장기침체, 저성장, 극단적 양극화, 고실업률, 양적완화에 따른 부동산 투기와 폭등으로 점차 악화되었다. 그 반발로 전 세계에서 포퓰리즘 득세 현상이 나타난 것이다.

기름을 들이붓다

특히 제1·2차 세계대전 사이, 즉 전간기에 유럽 인근에서 득세한 포퓰리즘과 파시즘 열풍이 금융위기 이후 유럽과 미국을 중심으로 다시 거세게 일고 있다. 미국 트럼프 당선, 영국 브렉시트 국민투표 통과, 독일·프랑스·오스트리아·이탈리아·북유럽에서의 극우 세력과 포퓰리즘 정치세력 득세, 폴란드·헝가리의 권위주의 체제 등장은 그 여파의 일환이다. 러시아, 일본, 중국에서는 스트롱맨의 장기 집권이 이어지는 현상이 나타났다. 결국 전 세계가 보다 높은 차원의 민주주의를 향해 나아가는 것이 아니라 가짜 민주주의, 즉 민주주의 탈을 쓴 권위주의·포퓰리즘·파시즘 성행 시대로 역행하는 셈이다. 이는 각국 경제가 대중의 삶을 보장해 주지 못하면서 출구를 상실하고 희망을 잃은 대중이 포퓰리즘과 파시즘적 정치인에게 선동 당한 결과다. 비록 전간기에 유럽에서 파시즘이 성행한 것과 100여 년의 시간 차이는 있지만 지금 전 세계에서 그 데자뷰^{Deja Vu} 현상이 발생하고 있다.

현재 코로나19가 들이닥친 유럽에서는 다시금 극우 열풍이 거세게 불고 있다. 코로나19 여파에 따른 대중의 공포, 고용불안, 봉쇄에 보이는 불만을 등에 업고 경제적 타격을 입은 서민층을 상대로 한 극우 선동이 거세진 탓이다. 이들은 저소득층 일자리를 차지한 이민자들을 향한 혐오를 부추기며 아시아인이 코로나19를 유입했다며 배타적 민족주의를 선동하고 있다. 역사를 되짚어보면 '1918년 수천만 명의 생명을 앗아간 스페인독감은 결과적으로 독일 나치정권의 집권을 도왔다'고 한다. 실제로 스페인독감이 대유행할 당시 사망자가 많이 발생한 지역은 훗날 독일 나치 정권 지지율이 높게 나타났다. 외국에서 유입된 스페인독감으로 가족, 친지, 친구가 다수 죽자 사람들이 그 분노감을 외국인에게 표출하면서 자국 우선주의, 자국 우월주의가 득세한 것이다. 이러한 배타적 민족주의는 독일에서 극우 파시즘이 자리 잡게 된 가장 큰 배경이다.

중국과 갈등을 빚고 있는 트럼프는 최근 "중국과 모든 관계를 끊을 수 있다. 관계를 통째로 끊으면 5000억 달러를 아낄 수 있다"고 말했는데 이는 중국에서 미국으로 들어오는 연간 상품 수입액을 아낄 수 있다는 의미다. 나아가 트럼프는 중국과의 무역협정 전면 파기와 코로나19 피해 배상 소송까지 암시했다. 이것은 모두 히틀러가 배타적 민족주의를 이용해 집권한 것과 유사한 행동이다. 2020년 11월에 치르는 대선을 앞둔 트럼프는 코로나19로 나빠진 경제 탓에 미국인의 분노가 높아지자 중국이라는 징벌적 대상에 그 책임을 전가하고 있다.

코로나19 이후 미국과 유럽에서는 이민족, 그중에서도 중국인을 중심으로 한 아시아인 혐오가 급증하고 있다. 극우와 포퓰리즘은 항상 분노와 선동 대상이 있어야 힘을 얻는 정치세력이다. 결국 코로나19가 금융위기 이후 미국, 유럽에서 거세지던 포퓰리즘과 권위주의 정치체제 등장에 기름을 들이부은 격이다.

포스트 코로나19 시대에 뒤처지는
사회·정치 변화

보편적 빈곤 시대의 가시화

코로나19 이후 세상에는 '보편적 빈곤 시대'의 막이 열린다. 어쩌면 19세기를 거친 뒤 급속한 경제성장을 이뤄온 인류가 21세기에 어떻게 보편적 빈곤 시대를 맞느냐며 의아해할지도 모른다. 사실상 인류가 최대로 풍요를 누린 정점은 1990년대고, 그 후 인류는 풍요가 아닌 빈곤을 향해 퇴보하고 있다. 다만 퇴보의 원인과 방향, 속도에 많은 의문이 있었으나 코로나19 사태가 전 세계에서 동시에 보편적 빈곤 시대를 가시화하며 우리는 눈앞에서 이를 제대로 느끼고 있다.

21세기 들어 신자유주의와 세계화, 기술 발전으로 선진국은 대부분 일자리를 대거 상실했는데 그것은 주로 중산층 일자리라 불린 제조업 노동직과 사무직이다. 반면, 세계화와 기술 발전은 그 자리를 대신할 정도로 괜찮은 일자리를 충분히 제공하지 못했다. 그 결과 대졸 이상 신규 고학력자가 제대로 된 일자리를 찾지 못하면서 각 선진국의 중산층 붕괴를 불러왔다. 이것마저 코로나19 이전 상황이고 코로나19 이후에는 아예 질 낮은 대면 서비스 일자리조차 사라져 하루 벌어 하루 먹고사는 일용직 노동자까지 생계를 위협받고 있다. 가령 마트의 캐셔, 버스 기사, 식당 서빙자, 호텔 접객인과 청소부, 여행 가이드 등의 일자리가 사라지거나 생명의 위협을 감수하고 수행하는 일자리로 전락했다.

뒤처지는 사회·정치 변화

2020년 5월 18일 영국 보리스 존슨 총리는 "코로나 백신을 개발하지 못할 수도 있다. 우리는 코로나 바이러스와 함께 살아갈 준비도 해야 한다"라고 언급했다. 트럼프 대통령은 2020년 말까지 백신을 개발할 수 있다고 자신하지만 빌 게이츠와 앤서니 파우치 소장을 비롯한 미 정부 고위당국자들은 2021년 말까지 일반인에게 백신을 공급하기가 어려울 수 있다며 회의적인 반응을 보이고 있다. 제롬 파월 의장은 "경제를 완전히 회복하려면 코로나 백신과 치료제를 개발할 때까지 기다려야 할 수도 있다. 백신이 없으면 경제활동을 재개해도 회복이 느리거나 중단될 가능성이 있다"라고 말했다.

미국과 유럽을 비롯한 대다수 국가가 경제적 압박을 이기지 못해 '코로나19 봉쇄령'을 점차 해제하고 경제활동을 재개하고 있지만 많은 전문가가 백신 개발 전 '2차 대유행'으로 경제 충격이 지속될 것이라고 경고하고 있다. 경제 충격이 지속될 경우 빈곤의 보편화가 서민층을 덮치고 이어 중산층 붕괴를 초래할 것이다. 그러면 하루하루를 살아가는 일마저 힘들어진 대중은 코로나19를 이유로 경제활동을 통제하는 국가에 저항할 수밖에 없다. 따라서 현실에 절망한 이들을 선동하는 포퓰리스트와 전체주의적 파시즘이 세계 정치를 뒤덮을 가능성이 매우 크다.

한국, 미국, 일본 등 많은 나라가 코로나19로 소득이 끊긴 국민에게 재난기본소득을 지원하고 있다. 이것은 어떤 대상자에게 어느정도 액수를 줘야 제대로 된 효과를 거두는지를 검토하지 않은 채임박한 선거와 지지율 하락 등을 의식해 무조건 주고 보자는 식의 사실상 포퓰리즘 정책이다. 세계 최고 수준의 자본주의 국가는 물론 유럽 사민주의 국가도 코로나19를 핑계로 신중하게 접근해야 할 기본소득을 막 퍼주고 있는 셈이다.

기본소득, 즉 일자리 소멸 시대에 대비해 국가가 전 국민에게 일정 금액을 주는 일은 이제 현실화됐다. 하지만 코로나19가 장기화할 수밖에 없는 상황에서 결국 국가 부채로 연결될 기본소득이 지속할 수 있는 이벤트인지, 그것이 소비, 공장 가동률, 투자, 임금 증가로 이어질지는 확실하지 않다. 만약 기본소득이 국가의 비효율적인 선심 정책이자 포퓰리즘에 불과해 소비, 고용, 투자 증가로 이어지는 승수효과가 미약할 경우 기본소득 지급은 국가채무 증가로 재정위기를 불러일으킬 수 있다.

문제는 성장은커녕 급격한 마이너스 성장 시대 도래로 실업자가 대공황기만큼 폭증하고 양극화가 극심해지는 상황에서 국가나 정치가 해야 할 일이 무엇인지 아무도 제대로 모른다는 데 있다. 가령 한국이 겪은 1997년 IMF 사태나 2008년 금융위기는 모두 나라 안팎의 경제 요인으로 발생한 충격이다. 이것은 구제금융, 긴축, 통화 스와프, 금리 통제, 무역 문턱 낮추기, 양적완화 같은 금융정책이나 국가 재정정책으로 극복이 가능했다. 그런데 전 세계로 급속히 퍼진 코로나19 위기는 질병이라는 비경제 외부 요인이 만성 경기침체 상황에 빠져 있던 세계경제를 강타한 사건이다. 각국은 기본소득, 금리 인하, 양적완화, 재정 투입 등 전통 경기부양 방식을 사용하고 있지만 과연 이것이 전대미문의 비경제 외부 요인에 효율적으로 작동할지는 아무도 모른다.

아무리 온갖 경기부양책을 써도 코로나19 2차 대유행이 발생해 다시 셧다운 봉쇄정책에 들어가면서 경제가 어려워지는 악순환이 무한 반복되면 아무런 소용이 없다. 이 경우 전 세계 정부의 정책은 '언 발에 오줌 누기 식'의 임기응변에 그치거나 숲은 못 보고 나무만 보며 대책을 강구하는 임시변통 역할밖에 하지 못한다. 이 위기를 극복하는 대안은 코로나19 위기와 그 위기 이전의 세계경제상황을 놓고 정치적·사회적 합의를 이뤄야 나올 수 있다.

물론 세계를 움직이는 정치·경제·사회 기득권 세력은 세계경제의 장기침체, 포퓰리즘 성행, 코로나19 습격, 경제 대공황 상태가 지속되는 현실을 결코 인정하려 하지 않을 것이다. 현실을 인정하고 그 대안에 합의하려는 시도 자체가 그들에게는 자신의 기득권을 내

려놓아야 하는 일임을 잘 알기 때문이다. 결국 정치적·사회적 합의
는 지연될 수밖에 없고 기존의 임시변통 식 땜질 대책만 전 세계에
난무할 가능성이 크다.

포스트 코로나19 시대의
국제기구 무력화

국제기구의 무력화 현상

포스트 코로나19 시대의 주요 특징 중 하나는 UN 등 국제기구의
무력화 현상이다. 지난 30년간 사람들은 신자유주의와 세계화 속에
서 UN, WTO, IMF, WB(세계은행), WHO, EU 등 많은 국제기구가 세
계화 현상 중에 나타나는 다양한 분쟁과 충돌을 막아줄 거라고 생
각해 왔다. 한데 코로나19라는 미증유의 세계적 생존위기 앞에서
미국과 러시아는 백신·치료제·진단법 개발을 위한 국제기구의 공
동 모금 행사에 불참했다.

자국 우선주의자로 포퓰리스트인 트럼프는 코로나 이전에도 파
리 기후협약과 이란 핵합의를 파기하고 유엔인권이사회, 중거리미
사일 협정INF, 유네스코 등 각종 국제기구에서 탈퇴한 바 있다. 2020
년 5월 18일 열린 WHO 총회에서 트럼프 대통령은 WHO를 두고
"중국의 꼭두각시"라며 맹비난했다. 또 미국이 내는 WHO 분담금을

미국의 10분의 1도 되지 않는 중국 수준으로 대폭 낮출 수 있다며 WHO와 중국에 노골적으로 불만을 드러냈다.

　사실 트럼프는 코로나19로 무너진 미국경제의 원천 책임은 중국에 있다며 중국을 집중 공격해 재선 고지를 넘으려 하고 있다. 트럼프의 백악관 측근이자 심복인 피터 나바로 백악관 무역·제조업 정책국장은 2020년 5월 17일 언론 인터뷰에서 "중국이 수십만 명을 비행기에 태워 세계에 바이러스를 뿌렸다"며 "11월 대선은 중국을 겨냥한 국민투표가 될 것"이라고 말했다. 그뿐 아니라 그는 "중국 정부가 코로나 백신을 이용해 폭리를 취하고 세계를 인질로 붙잡아둘 것"이라고 비난하기도 했다.

　미국은 중국과의 기존 무역 분쟁에 이어 최근 화웨이를 비롯한 중국 통신회사에 반도체를 공급하지 않기 위해 거래제한과 수출규제 카드까지 꺼냈다. 흥미롭게도 미국 국민의 3분의 2가 "코로나 책임이 중국에 있다"는 트럼프의 의견에 동조하고 있고, 실제 대선 지지율도 대對중국 공격 이후 회복되고 있는 추세다. 결국 코로나19라는 사상 초유의 세계 공동 보건위기 앞에서 그 핵심인 미국과 중국이 책임론을 놓고 제로섬 식 결사대결을 하는 양상이 벌어지고 있다. UN 사무총장 안토니우 구테흐스는 2020년 5월 18일 WHO 총회에서 WHO 지원금 확대를 요청하며 이렇게 한탄했다.

코로나 대유행 앞에서 각국은 결속력을 보여 주지 못했다. 약간의 연대는 있었지만 많은 국가가 WHO 권고사항을 무시하고 제각기 다른 전략을 시행한 결과 막대한 대가를 지불하게 됐다.

반면 트럼프는 WHO가 중국 편을 들고 나서며 코로나에 제대로 대응하지 않았고 그 때문에 미국을 비롯한 전 세계가 막대한 피해를 봤다고 주장했다. 코로나 위기에 대응해야 할 WHO가 모든 권위를 상실하고 중국의 앞잡이로 전락해 버렸다는 얘기다. 2020년 7월 7일, 미국은 마침내 WHO를 탈퇴했다.

2020년 5월 중순 WTO 사무총장 호베르투 아제베두가 임기를 1년 이상 남겨 두고 갑자기 사임 의사를 밝혔다. 트럼프는 2021년 8월까지 임기인 WTO 사무총장의 중도사퇴를 두고 "나는 괜찮다. WTO는 끔찍하다"라고 언급했다. 최근 미국은 중국이 개발도상국 지위를 이용해 다양한 혜택을 받았다며 WTO에 불만을 표시하고 WTO 상소기구의 상소위원 임명까지 보이콧한 바 있다. 한마디로 GATT체제 이후 세계자유무역을 전담해 온 기구가 무력화한 셈이다. 포스트 코로나19 시대에는 각종 국제기구의 무력화가 더욱 심해질 전망이다. 미국은 대對미 수출로 막대한 이익을 얻는 중국의 개도국 지위를 해결하지 않으면 WTO에서 탈퇴하겠다고 으름장을 놓았고, 2019년 벌어진 미중 무역전쟁에서 WTO는 그저 지켜만 보는 방관자 지위로 추락했다.

코로나19 팬데믹은 세계 무역 환경을 제2차 세계대전 이후 최악의 상황으로 만들어 버렸다. 이런 환경에서 제12차 WTO 각료회의

마저 무산되었다. 이처럼 추락한 WTO의 현 지위는 신자유주의와 세계화의 종말을 여실히 보여 준다.

포스트 코로나19 시대의
새로운 기준

코로나19와 장기 동거를 선택한 문재인

코로나19가 전 세계에 공식 확산된 지 8개월 18일 만인 2020년 9월 18일 현재 세계 확진자는 3000만 명을 넘어섰고 사망자도 100만 명에 근접했다. 세계 거의 모든 나라에 퍼진 코로나19는 4~5월 잠시 주춤하다가 여름휴가 시즌 이후 다시 무섭게 퍼져 나갔다. 아직 많은 사람이 코로나19의 위험성을 잘 인지하지 못하고 있던 2020년 1월, 나는 코로나19가 치명률이 1% 안팎이고 전염력이 매우 높으며 변종이 많아 백신이나 치료제 개발이 당분간 어려워 각국이 국경을 차단할 것이라고 예측했다. 실은 감염병 전문가들조차 2020년 2월 초 TV에 나와 "정부가 낫게 해 준다", "독감보다 조금 더 심한 상태다", "메르스, 사스, 신종플루와 비교해 별로 특별하지 않다"는 등 안이한 발언을 했었다. 소위 감염병 전문가의 입에서 이런 말이 나오다니 이 얼마나 놀라운 일인가.

전 세계가 코로나19로 보건위기에 처한 2020년 9월까지도 WHO조차 무증상 감염으로 감염이 이뤄지는지, 양성 환자가 완치 후 재감염 되었을 때 어떤 상태인지, 어린이 괴질이 코로나와 무슨 상관이 있는지, 왜 소수 젊은층에게 사이토카인 스톰 증세가 나타나는지, 항체의 존속기간이 얼마인지, 백신과 치료제 효과가 있는지 제대로 설명하지 못했다. 그리고 코로나19 모범방역국이라 자랑해 온 문재인 정권은 아시아태평양 21개국의 인구 대비 확진자 숫자 통계에서 16등을 차지했다. 이것은 끝에서 여섯 번째로 외국 언론조차 "한국의 코로나 모범방역국 이미지가 훼손되고 있다"고 보도했다.

총선에 대비한 문재인 정권의 코로나19 모범방역국 이미지는 총선이 끝나자마자 사라졌다. 2020년 6월 말 하루 50명 안팎의 확진자가 나왔다. 의료진과 박원순 서울시장까지 나서서 한여름에 2차 팬데믹이 올 수 있다고 경고했으나 문재인 정권은 사회적 거리두기를 강화하고 셧다운에 들어가기보다 경제를 살린다는 명분 아래 '코로나와 장기 동거'를 선택한 듯했다. 정은경 질병관리청장도 코로나19 치료제와 백신 개발에 오랜 시간이 걸리는 상황이라 코로나19를 일상처럼 옆에 두고 살아야 한다고 말했다. 8월 14일부터는 감염자가 100명을 넘어 섰고, 이후 수도권에서는 한 달 이상 하루 감염자 수가 400명을 웃돌았다. 말하자면 2차 팬데믹이 확산된 것이다.

정부는 보수단체의 집회나 교회에 책임을 전가했다. 하지만 확진자의 28% 이상이 바이러스의 전파 경로를 파악할 수 없는 경우였다. 더욱더 심각한 사실은 한국이 100만 명당 검사자 순위가 세계

115위권에 머물러 있으며 1, 2차 항체 조사를 겨우 1,440명과 3055명밖에 행하지 않았다는 것이다. 영국대학 수학 박사 과정에 있는 한 지인은 검사자와 확진자 간의 상관계수를 0.0111이라고 산출한 바 있다. 즉 검사자가 100명인 경우 확진자는 11명, 1만 명인 경우 111명, 10만 명인 경우는 1,110명이 나온다는 의미이다. 정부는 코로나19 검사자의 수를 통제해 확진자 수를 조절하고 있다는 의혹에 대해 제대로 된 답변을 내놓지 않고 있다.

나는 이미 2020년 3월부터 여유가 있을 때 전 국민 1%인 50만 명에게 항원항체 검사를 동시에 실시해 감염자 수, 항체 형성과 지속성, 재감염 여부 등을 파악해 나중에 2차 팬데믹이 전국을 덮칠 때 대응 자료로 쓰자고 여러 차례 주장했다. 문재인 정권은 당장이라도 이를 시행할 것처럼 말했지만 그뿐이었다. 전 세계에 진단키트 수백만 개를 수출했다고 자랑하는 모범방역국에서 수십만 명의 항원항체를 검사하지 않는 이유는 무엇일까? 어쩌면 그 결과가 두려워서인지도 모른다. 만약 국민 수십만 명이 이미 감염된 상태라면 이를 국민에게 어떻게 설명할 수 있겠는가? 그 순간 모범방역국 이미지는 산산이 부서질 수밖에 없을 것이다.

나는 한국이 왜 영국, 프랑스, 이탈리아처럼 하루에 10만 명 안팎의 코로나 무료검사를 시행하지 못하는지 의문이다. 미국에서도 하루에 70~100만 명의 사람들이 검사를 받고 있는데 말이다. 진단키트 세계 수출 1위권 국가, 보건인력 역량이 세계 최고인 국가, 코로나 유행을 핑계로 십수 조원씩 추경을 편성하는, 돈이 넘치는 국가에서 이해할 수 없는 일이 벌어지고 있다.

뉴노멀New Normal 시대

코로나19는 갈수록 확산 속도가 더 빨라지고 그 범위도 넓어지고 있다. 처음에는 발생 두 달 만에 전 세계 확진자가 100만 명에 도달했는데 5개월이 지난 시점에는 일주일에 100만 명씩 늘어났다. 전 세계 어디에도 안전한 국가는 없고 미국과 중국에서도 계속 재확산이 일어나고 있다. 코로나19는 이전의 어떤 전염병보다 전염력이 훨씬 강하고 치사율도 높지만 조만간 백신과 치료제가 나올 가능성은 매우 낮다. 설령 백신이 나와도 독감처럼 매년 접종해야 할지도 모른다.

많은 전문가가 최소 3년 이상의 장기 팬데믹을 예상하는 코로나19의 영향으로 세계경제는 붕괴 직전까지 내몰리고 있다. 이제 모든 세계인은 코로나19 이전과 이후의 삶이 완전히 다르다는 것을 인정해야 한다. 문제는 코로나19가 보건 차원을 넘어 정치·경제·무역·지정학적 관계, 복지체계, 사회 구조, 문화 측면에서 전 세계에 영향을 미치고 있다는 점이다. 코로나19 이전 전 세계에서는 신자유주의와 세계화 쇠락, 장기 불황, 극단적 양극화, 실업 같은 경제 현상과 이에 따른 정치적 반작용으로 극우 포퓰리즘이 성행했다. 그러다가 코로나19가 등장해 이전 변화 양상에 기름을 부으면서 변화 속도가 엄청나게 앞당겨졌다. 비유하자면 변화 속도가 마차로 달리던 것에서 비행기로 날아가는 정도로 급상승했다.

흔히 코로나19를 기준으로 비포Before 코로나19와 애프터After 코로나19로 나눠 뉴노멀 시대가 열렸다고 말한다. 지금껏 세계사에 획을 그은 거대한 전환 시대는 전쟁, 혁명, 기술 발전처럼 인류의 선택과 노력으로 이뤄졌다. 그런데 21세기 4차 산업혁명 시대에 고작 바이러스가 '세계 변화 시대'를 여는 계기로 작용하고 있다니 참으로 아이러니가 아닐 수 없다.

AI 로봇, 무인자동차, 3D프린터, 드론, 스마트팩토리 시대에 인류가 바이러스 하나를 감당하지 못해 삶의 방식에서 대전환의 뉴노멀 시대를 맞이하게 되었다는 사실을 어떻게 해석해야 할까? 입만 열면 마치 '4차 산업혁명'이 모든 것을 해결해 줄 것처럼 약을 팔던 세계 지성인들은 그동안 거짓말을 해 온 것일까? 과연 이 모든 것이 코로나19 때문일까, 아니면 코로나19가 망해가던 한 시대의 폐막 커튼을 내린 것일까? 정답은 코로나19가 모든 것을 바꿔놓은 게 아니라 망해가던 한 시대가 코로나19로 인해 급격히 막을 내리게 되었다는 점이다.

21세기는 인류가 이전 시대보다 더 가난해진 최초의 시대다. 이는 기술 발전과 일자리 소멸이라는 시대적 과제를 고민하지 않고 자본 논리에 따라 무한대로 이익만 추구해 온 인류의 자업자득이다. 그동안 수많은 미래학자와 교수들이 "기술 발전은 시대의 대세", "기술 발전은 소멸된 기존 일자리보다 더 많은 새 일자리 창출", "기술 발전은 부가가치 창조 규모 확대" 등을 입에 달고 살았다. 이러한 기술 발전은 신자유주의, 세계화 확대와 발전 궤도를 같이해 왔다. 바로 여기에서 전 세계 교역은 모두에게 도움을 준다는 '비교우위, 절대우위' 같은 근시안적 경제이론이 탄생했다.

판도라 상자를 연 한국경제,
방향 잃은 한국 보수

지금도 힘들지만 진짜 위기는 아직 오지 않았다.

코로나19와 포퓰리스트
트럼프의 딜레마

조지 플로이드 사건의 양면성

2020년 5월 말, 미국 미네소타주 미니애폴리스에서 흑인 조지 플로이드가 체포 과정 중에 경찰의 폭력 행위로 사망했다. 이 사건은 SNS를 타고 널리 퍼져 갔고, 미국 전역에서 격렬한 저항 시위가 일어났다. 5월 31일에는 미국 140개 도시에서 방화, 약탈을 포함한 시위가 벌어져 5,000여 명이 체포되고 21개 주에서 방위군이 출동했으며, 40여 개 도시가 야간통금령을 내렸다. 안타깝게도 그 과정에서 8명이 사망하기도 했다. 〈워싱턴포스트〉는 이 상황을 가리켜 이렇게 언급했다.

20세기 이래 미국에 닥친 최악의 위기다. 코로나19로 미국인 10만 명 이상이 죽고 4000만 명이 실업자가 되었으며, 인종차별 시위가 전국으로 번지고 있다. 이것은 2020년에 1918년의 대중 전염병인 스페인독감, 1930년 대공황, 1968년 흑인 시위 같은 악재가 한꺼번에 몰아닥친 셈이다.

하지만 〈워싱턴포스트〉는 이 시위에 단순히 경찰의 흑인 살해 사건에 따른 인종적 분노가 아니라 그것을 넘어선 무언가가 있다는 점을 간과했다. 실제로 이 시위에는 흑인뿐 아니라 다수의 20~30대 백인, 아세안, 히스패닉까지 가세해 이전의 흑인 일변도 인종차별 시위와 확연히 다른 모습을 보여 주었다.

신자유주의와 세계화의 결과가 나은 양극화

2008년 서브 프라임 모기지 사태가 촉발한 금융위기 이후 미국을 비롯한 세계 각국은 양적완화로 수십조 달러를 풀어 경기부양에 올인했다. 그러나 금융위기는 석 달 동안 실업자 4000만 명을 양산한 코로나19와 그 범위나 강도 측면에서 비교조차 되지 않는다. 물론 2008년 금융위기 때도 집과 직장을 잃은 수백만 명의 미국인이 장기간의 불황에 시달리다 못해 '월가 점령 운동'을 시작했다. 2011년 월스트리트에서 수천 명의 젊은이가 월가 점령 운동에 참가했는데 이는 2008년 금융위기를 촉발하고도 누구도 책임지지 않은 미국 금융회사와 증권업계의 탐욕, 부조리를 비판하는 운동이었다. 흥미로운 것은 이 운동 참가자의 80%가 백인이고 50% 이상이 연간 7만

5000 달러(9100만 원) 이상을 받는 고소득자였다는 점이다. 이것은 금융위기로 피해를 본 경제적 약자를 돕기 위한 운동이었으나 아이러니하게도 참여율은 저소득층보다 고소득층이 더 높았다.

뉴욕을 중심으로 한 이 시위는 그해 말까지 미국 전역으로 퍼져갔고, 유럽에서도 광범위하게 확산되었다. 분노감과 혐오감을 표출한 시위대의 핵심 주장은 이러했다.

> 1%의 금융 거부들이 전체 부의 50%를 차지하고 있다. 그 바탕에는 2008년 금융위기 처리 과정에서 드러난 미국의 정경유착, 회전문 인사, 상류 기득권층의 네트워크가 있다!

이 운동은 미국 백인 중산층과 청년층의 불안감을 반영하고 있으며 금융위기를 촉발한 기득권층의 정경유착 네트워크 청산 앞에서 "버락 오바마도 조지 W. 부시와 하나도 다를 바 없었다"는 분노를 포함하고 있다. 흑인 출신 오바마를 맹목적으로 지지한 흑인들 입장에서는 오바마를 비판하는 이 시위가 달가울 리 없었을 터다. 여하튼 유대인 비서실장 램 이매뉴얼을 매개로 월가와 깊숙이 연결된 오바마는 대통령 당선 이후 금융위기를 초래한 월가의 도덕적 해이를 본질적으로 제어할 수 없는 상황이었다. 2008년 금융위기 이후 미국 오바마 정권은 신자유주의와 세계화를 더욱 가속화했고 결과적으로 미국은 크게는 20 대 80, 작게는 1 대 99로 더욱더 양극화하기 시작했다. 이 과정에서 미국 백인 중산층과 대학생, 대졸생 사이에 '자신의 인생에 출구가 없다'는 자각이 늘어나기 시작했다.

2016년 대선에 출마한 트럼프와 버니 샌더스 상원의원은 둘 다 그처럼 미래가 불투명해진 백인들의 불안과 위기의식을 지지 기반으로 했다는 점에서 유사성이 있다. 다만 트럼프는 보수 색채가 강한 40~50대 중하층 백인노동자들이 핵심 지지층이고 샌더스는 진보 색채가 강한 20~30대 백인 청년들이 주요 지지층이라는 차이가 있을 뿐이다. 재밌게도 2016년 대선은 민주당과 공화당 모두 주류가 당선 통제력을 상실한 채 포퓰리스트인 샌더스와 트럼프에게 휘둘리는 놀라운 상황을 연출했다. 역사가 백수십 년에 이르는 미국 민주당, 공화당 당원들이 당 지도부와 유리되어 당 색깔과 전혀 다른, 굴러 들어온 돌인 샌더스와 트럼프에게 쏠리는 '이상 현상'이 나타난 것이다. 그때 세상사에 좀 더 노회한 장사꾼 기질의 트럼프는 공화당 지도부의 반발을 무력화해 대선 후보로 나서는 데 성공했으나 학자 스타일의 이념가인 샌더스는 민주당 상층 네트워크를 장악한 힐러리 클린턴 부부의 벽을 뛰어넘는 데 실패했다.

이처럼 2016년 미국 대선은 극단적 좌우 포퓰리즘을 지향한 샌더스와 트럼프가 도약했다는 점에서 이전의 대선과는 판이했다. 트럼프와 샌더스는 외형상 많이 달라 보이지만 극단적 포퓰리스트라는 점에서는 사실상 일란성 쌍둥이와 다름없다. 금융위기 이후 지속된 미국의 경기침체와 양극화는 2016년 대선에서 바야흐로 '포퓰리즘 전성시대'를 불러왔다.

장기 불황, 양극화, 기득권층의 위선과 가식에 따른 혐오를 기반으로 대통령이 된 트럼프는 이후 극단적 보호무역·일자리 창출·자국 우선주의를 고집했으나 20~30대 청년층의 경제적 기대를 충족하기에는 현실적·정서적으로 거리감이 있었다.

발생 배경까지 이해해야

조지 플로이드 사건을 계기로 터져 나온 폭동은 이러한 배경이 축적된 결과다. 트럼프 정부의 주요 통계는 미국에서 일자리가 늘어나고 경제가 호전되고 있다고 말해왔으나 실은 연봉 2만~3만 달러짜리 질 낮은 일자리가 늘어난 것에 불과했다. 분배가 소수 상류층에 집중되면서 중·하류층과 청년 세대의 삶은 전혀 개선되지 않았던 것이다. 결국 트럼프 정부를 향한 미국인들의 폭동은 단순히 인종 갈등 차원이 아니라 그 발생 배경까지 범위를 넓혀 이해해야 한다.

중국경제의
붕괴 조짐

서방 세계의 경고를 무시한 중국의 노골적인 도발

　트럼프 당선 이후 미국과 중국은 무역 분쟁을 하며 계속 대립해 오다가 미국 대선을 앞두고 2020년 1월, 1단계 합의로 무역 분쟁이 장기휴전에 들어가는 분위기였다. 그러나 2020년 초부터 코로나19 확산으로 미국에서 190만 명의 감염자와 10만 5,000명 이상의 사망자가 나오자 감염병 유발 책임론을 둘러싸고 미중 간에 격렬한 싸움이 벌어졌다. 그 와중에 중국은 2020년 5월 28일 전국인민대표대회에서 '홍콩보안법'을 통과시켰는데 이는 서방 세계의 경고를 무시한 중국의 노골적인 도발이다.

　왜 중국은 코로나19 여파에 따른 무역 붕괴 와중에 홍콩보안법이라는 극단적 선택을 한 것일까? 홍콩보안법은 중국 본토 형법을 홍콩에 그대로 적용하는 것으로 쉽게 말해 '일국양제' 포기를 의미한다.

　1992년 중국은 홍콩의 자본주의 체제와 홍콩행정청의 자치 운용을 향후 50년간 보장하겠다고 약속했다. 그런데 1997년 홍콩 반환 이후 23년 만에 이를 거둬들이고 사실상 홍콩합병을 선택한 것이다. 그 중요한 이유 중 하나는 반환 당시 20%가 넘던 중국 내 홍콩의 경제 비중이 2% 수준으로 줄어든데다 2019년 6월 시작된 홍콩 시위가 우려스러웠기 때문이다.

그렇지만 뭐니 뭐니 해도 홍콩합병의 가장 큰 핵심은 중국의 성장 둔화와 숨은 경제 부실이다. 2019년 중국은 경제성장률이 6.6%라고 발표했으나 많은 중국 전문가는 그 성장률을 중앙·지방 정부가 합작한 통계 조작의 결과로 보고 있다. 그들은 중국의 실제 성장률이 정부 발표의 절반에도 미치지 못한다고 분석한다.

영국 독립리서치기관 롬바드스트리트 리서치는 중국 중앙·지방 정부가 모두 조작에 가세한 것뿐이며, 실제 성장률은 3%대 수준이라고 보고했다. 미국 시카고대학교 루이스 마르티네스 교수는 중국 GDP 중 약 30%를 과대 발표로 추정하고 있다. 이것은 야간 위성사진 불빛 변화량을 연구해 얻은 추정치라고 한다.

이처럼 많은 전문가들이 중국경제가 코로나19 위기에서 벗어나 빠르게 반등하고 있다는 중국 측의 대외 보고와 달리 코로나19에 따른 악순환으로 꺼져가던 중국경제가 괴멸 수준의 타격을 받았다고 본다. 이제는 중국 보건국 인솔 아래 저가를 무기로 수출하던 코로나 공산품의 수출 장벽도 높아지고 있다.

해체 수준을 밟는 중국의 글로벌 공급망

코로나19로 충격을 받은 미국, 유럽, 일본이 각자 리쇼어링 정책을 내놓아 중국에 진출한 자국 기업 공장의 철수를 유도하는 것도 중국 입장에서는 큰 문제다. 이에 시진핑 주석은 2020년 5월 23일 전국인민정치협상회 연석회의에서 "중국은 내수 위주의 경제개발을 추진하겠다"고 선언했다. 이는 코로나19 사태 이후 미국, EU, 일본과 디커플링Decoupling(탈동조화) 상태에 놓인 중국이 최악의 시나리오에 대비하는 것으로 봐야 한다. 중국은 앞으로 수년간 세계와 중국경제가 회복되지 않고 폐쇄경제가 가속화할 것이라는 우려 속에서 이러한 방향 전환을 선택한 것으로 보인다.

실제로 코로나19 사태 이후 글로벌 서플라이 체인 붕괴로 세계 시장은 급변하고 있다. 세계 각국은 차례로 코로나19 확산을 막기 위해 봉쇄 조치에 들어갔고 중국의 공장 가동이 멈춰서면서 각국은 핵심 부품 공급과 완제품 조립에 커다란 차질을 빚었다. 당시 중국에 공장을 둔 각국의 중견·중소기업 오너가 자기 공장에 들어가지 못해 애를 태웠다. 이 사태를 겪은 세계는 중국에 부품 공장을 올인하는 것의 위험성을 깨닫고 생산라인을 다시 자국 내로 불러들이는 리쇼어링 정책을 앞 다퉈 시행하고 있다.

이제 세계의 굴뚝 역할을 하던 중국의 글로벌 공급망은 해체 수순을 밟고 있다. 즉, '세계 유일의 공장'이라는 지위를 잃는 상황에서 중국은 내수용 생산시설만 남을지도 모르는 냉정한 현실을 고려해 방향 전환을 선택한 것으로 보인다. 심지어 중국은 새로운 전환기 앞에서 '살아만 있자'며 식량·에너지 고갈까지 대비하고 있다. 이는 완전한 고립 상황까지를 가정하고 있음을 의미한다.

노점경제로 보는 중국경제의 몰락

2020년 6월 1일, 중국 리커창 총리는 산둥성 옌타이의 한 마을을 시찰하는 자리에서 "노점경제는 중국의 생기"라며 이를 칭찬했다. 이후 관영매체들은 잇따라 노점경제 관련 기사를 쏟아냈고 노점용 트럭개조 회사 등 관련 기업 주가가 급등했다. 그만큼 중국경제는 심각한 상황이지만 그 직후 시진핑이 베이징시를 시켜 "베이징에는 노점경제가 어울리지 않는다"며 반기를 들었다.

리커창이 기자회견과 현장을 방문한 자리에서 "노점경제는 중요한 일자리 자원이자 중국의 생기"라며 찬양하자 베이징시 관계자가 "시내 각지에 노점이 들어서고 있는데 이는 도로를 점령하는 행위로 불만이 크다. 법에 따라 위법행위를 조사해 처리할 것"이라고 받아친 것이다.

베이징시 언론들 역시 "베이징은 중국의 얼굴과 인상을 결정하는데 노점을 느슨하게 관리해 도로가 무법천지가 되고 가짜상품, 차량 정체, 비위생적 상황이 발생하는 것을 용납할 수 없다"고 보도했다. 뒤이어 〈인민일보〉, CCTV 등 중앙 관영매체들도 일제히 "노점경제가 보는 문제는 해결하지 않는다"고 공박했다.

이들은 중국공산당 중앙선전부가 관영매체에 '노점경제'라는 말을 쓰지 말라는 지시를 내렸다며 시진핑과 리커창의 대결이 시작되었다고 분석했다. 중요한 것은 중국이 코로나19 이후의 경제 활로를 '내수 위주의 경제개발 추진'에서 찾겠다고 했는데 그 방법이 고작 노점경제라는 사실이다. 이는 중국경제가 몰락 직전임을 여실히 보여 준다.

보수와
수구기득권의 차이

기득권의 의미

보수라고 자처하는 사람 중에는 재벌총수가 무슨 짓을 해도 무조건 옹호하고 '재벌이 한국 그 자체'라고 생각하는 사람도 많다. 그러면서 "기득권이란 말 속에는 한 사람이 태어나 살아오면서 이룩한 것이 포함되어 있다"며 그 정당한 기득권을 존중해야 한다고 말한다. 안됐지만 이는 기득권의 의미를 제대로 이해하지 못해서 하는 말이다.

기득권이란 말을 있는 그대로 정의하면 태어나기도 전에 이미 물려받은 계급, 재산, 지위 등을 의미한다. 또한 한 사회에서 지배적 지위를 계속 유지하고자 사회의 이해관계에 따라 자신의 이익을 대변하는 이념을 전파해 교묘하게 사회 불평등을 정당화하려는 집단을 뜻하기도 한다. 한국 사회에서는 오랫동안 보수를 기득권과 동일시해 왔다.

광복 이후 1997년 김대중 전 대통령DJ이 집권하기까지 정권 교체가 이뤄지지 않아 한국 사회 상류 기득권층은 모두 보수세력으로 인식되어 왔다. 이는 보수라는 정치 용어를 두고 이해가 부족해서 생긴 일이다. 기존의 보수주의 개념은 프랑혁명을 두고 솔직하게 부정적 견해를 밝힌 보수주의의 아버지 에드먼드 버크가 처음 만들었다고 한다. 그러나 현대적 의미의 보수주의는 19세기·20세기 제국주의 시대와 맞물려 현대 '민주주의 정치 이념'으로 받아들여지는 데 오랜 시간이 걸렸다.

보수주의 한계

반면 사회주의는 이미 1917년 구소련에서 혁명에 성공해 대중 이념으로 전 세계에 널리 퍼지기 시작했다. 사실 이웃나라를 침략해 식민지를 지배하고 계급사회를 유지하는 식으로는 현대적 의미의 정치 시스템을 갖춰 보수주의를 제대로 완결하기가 어렵다.

사전상의 의미로 보수주의는 흔히 급격한 사회 변화를 피하고 현 체제를 유지하려는 사상이나 태도로 정의한다. 이 정의대로라면 보수주의 한계는 명확하다. 세상의 정치·경제·사회 시스템이 급속히 변화하는데 어떻게 현 체제를 그대로 유지할 수 있겠는가? 그러므로 사회적 의미의 보수주의는 '수구기득권'으로 해석해야 한다. 과거의 귀족이나 왕족 같은 지배계층이 사라진 현대 민주주의 사회에서 이들을 대신하는 자리를 차지하려는 사람들이 바로 수구기득권이다. 즉, 수구기득권은 구시대 가치관에 따라 이미 획득한 권리를 지키려 사회 변화와 개혁을 거부하는 세력을 의미한다. 한국 좌파는 보수를 수구기득권, 일명 '수꼴'이라 부르지만 실은 우파뿐 아니라 좌파도 진즉에 수꼴화했다.

사실상 한국의 보수세력은 제대로 된 보수의 정치적 의미도 모른 채 보수로 불려왔다. 이승만·박정희·전두환·노태우 시대를 보수라고 부르기에는 그 개념에 한계가 명백하다. 러셀 커크 같은 보수주의 운동가들은 미국에서조차 현대 보수주의는 제2차 세계대전이 끝난 1950년대에 그 개념을 정립했다고 말한다. 그러니까 서구 사회에서 보수주의는 사회주의보다 40년 정도 늦게 그 이념의 정체성을 갖춘 것이다. 서구 사회가 식민지 개척을 위한 침략 전쟁을 중단하고 나서야 보수주의가 현대 정치 이념으로 자리 잡기 시작한 셈이다.

한국에서 이승만 시대는 보수주의가 무언지 모를 때였고, 박정희 시대는 군사혁명으로 집권한 군사정권 시대였다. 전두환과 노태우 시대도 마찬가지였다. 군사혁명으로 정치, 사회, 경제를 혁신하겠다고 한 세력이 보수주의라는 것은 서로 앞뒤가 맞지 않는 내용이다.

결국 한국 보수주의는 김영삼 시대부터 시작되었다고 보는 것이 논리적으로 합당하다. 최소한 '현대적 의미의 보수주의'는 민주주의, 자본주의, 시장경제 속에서 투표라는 대의민주제를 기반으로 집권한 정권에 한정해 언급해야 맞는다. 그렇다면 한국의 보수 정권은 김영삼, 이명박, 박근혜 세 정권이고 좌파 정권도 김대중, 노무현,

문재인 세 정권이다. 이처럼 한국은 민주주의 절차를 완성한 이후 좌우가 각각 세 번씩 집권했다.

'누가 해 먹느냐'는 차이만 있는

좌파 정권은 집권하거나 야당일 때 모두 자신들만의 외교, 안보, 동맹, 사회·경제 가치를 추구했다. 반면 보수 정권은 집권을 해도 집권 정당과 집권 세력조차 보수의 가치가 무엇인지 제대로 이해하지 못했다. 다시 말해 기득권을 이해하지도, 보수 가치의 개념을 제대로 정립하지도 못한 상태였다. 보수정당, 보수 정치를 표방하면서도 진정한 한국적·현대적 보수의 가치가 무엇인지 제대로 몰랐던 것이다. 보수 정권 집권 기간에 대통령들의 이상한 돌출 언행이 불거진 이유는 여기에 있다.

이와 달리 좌파 정권은 대외적으로 좌파 가치를 밀어붙이면서 내부적으로는 운동권의 인적 네트워크 속에서 보수 정권과 다를 바 없는 부패행위를 저질러 왔다. 실제로 한국의 좌파 정치세력은 진보가 아니라 '좌파 수구기득권'에 불과하다. 한국에서는 좌·우파 얼치기 정치세력이 좌우 수구기득권을 그대로 유지해 온 셈이다. 다만 '이번에는 누가 해 먹느냐'는 차이만 있을 뿐이다.

현대적 의미의
'한국 보수주의' 가치

현대적 의미의 한국 보수주의는 다음과 같이 몇 가지 원칙을 세워야 한다.

변화를 두려워하는 것이 아니라 시대 변화에 따라
보수주의 가치를 현실에 맞게 바꾼다

그 방법은 전승적 가치를 포괄하는 조화와 기존 제도, 사회 시스템을 존중하면서 합리적으로 이뤄져야 한다. 예를 들면 미국과 영국에서 공화당·민주당, 보수당·노동당이 시대에 맞게 그 가치를 적절히 바꿔온 것처럼 우리도 '보수가 무조건 지켜야 하는 것'이라는 생각을 버려야 한다. 세상과 생각이 바뀌고 법, 제도, 기술, 문명, 일자리, 소득, 사회 풍습, 트렌드도 모두 바뀌는데 어떻게 바뀌지 않는 불변의 가치가 있겠는가?

그렇지만 최근 국민의힘이 김종인 비대위원장을 내세워 기본소득, 노동자 권리, 민주화는 강조하면서도 '보수'는 삭제하라고 한 점은 실용이 정치 이념을 뛰어넘을 수 있다는 착각에서 기인한 것이다. 전 세계 어디에서도 정상적인 나라라면 투표의 영향을 받는 정당이 이념적 정체성 없이 단지 실용정당이라는 것만 표방한 사례는 없다.

보수주의 첫 번째 가치는 한국이라는 국가공동체를 최우선 가치 기준으로 삼고 이 공동체의 효용과 후생을 극대화하는 데 있다. 다시 말해 보수의 가치는 북한, 중국, 해외노동자가 아니라 오직 국민만을 위한 국가의 '효용과 후생 극대화' 추구에 있다. 이것은 하버드 대학교 마이클 샌델 교수가 《정의란 무엇인가》에서 "정의는 공동체의 이익을 극대화하는 것"이라는 말과 일맥상통한다. 곰곰 생각해 보면 한국의 역대 좌우 정권 중 국민 전체를 위한 국가적 효용과 후생 극대화를 도모한 정권은 하나도 없었다.

최대 다수의 최대 효용이라는 공리주의를 지향한다

사회적 공공이익을 추구하는 공리주의는 오늘날 다수결의 원칙에 근거한 현대 민주주의 점진적 복지제도 향상에 큰 영향을 끼쳐왔다. 마찬가지로 현대 대의민주주의제 아래에서 보수주의는 공리주의를 지향해야 소멸하지 않고 계속 혁신할 수 있다. 공리주의 관점에서 한국의 좌우 수구기득권은 모두 도태되어야 할 대상이다. 그들은 공리가 아닌 자신의 이익만을 위해 애쓸 뿐이다. 공리주의에 입각한 개인의 행복 추구 가치는 '애프터 코로나19'에서 더욱 강하게 요구될 수밖에 없다.

코로나19 이후의 시대 변화에 과감하게 적응한다

코로나19 이후의 세상은 우리가 지금까지 겪어보지 못한 새로운 형태의 위기와 함께하는 세상일 것이다. 가령 극단적 소득 양극화, 일자리 소멸, 경제 대공황 도래, 전염병 만연, 국가재정 붕괴, 포퓰리즘 성행 등 온갖 형태의 위기가 일상화·보편화한다. 이런 시대에 현대 보수주의가 그 변화에 과감하게 적응하지 못할 경우 생존은 불가능하다. 보수의 생존에 필수적인 요소는 코로나19 이후 개인의 삶의 질에 대한 고민이다. 기존의 한국 보수 수준으로는 절대로 코로나19 이후 시대에 생존할 수 없다.

새로운 보수는 퇴행이 아니라 미래를 지향하는 동시에 대중적이어야 한다

과거에 매달리는 퇴행 이슈가 아닌 미래지향적이면서 대중의 삶과 고통에 공감하는 이슈에 집중해야 한다. 2019년 10월 한때 보수는 시청, 광화문, 서울역 앞에 수십만 대중이 모여 정권 퇴진을 외쳤으나 6개월 뒤 총선에서 사상 최대로 패배했다. 그 주요 원인은 문재인 정권 퇴진, 탄핵무효, 조국 사퇴 같은 이슈가 소수 강경 보수층을 넘어 대중의 삶에 영향을 미치는 미래지향적 이슈가 아니었기 때문이다.

새로운 보수는 확장성 있는 보편적인 가치에 기반을 두어야 한다

개중에는 특정인 석방 혹은 사면, 부정선거 규명을 주장하는 사람도 있지만 보수 전체의 목표와 방향이 그런 것인 양 왜곡되어서는 안 된다. 이런 주장에 이견을 보이는 사람을 마치 배신자처럼 폭력적으로 억압하는 일부 보수의 풍토에는 소위 대깨문 같은 획일성 강요와 폭력성이 엿보인다. 자신들의 가치가 옳다고 믿는 것이야 자유지만 그 생각을 강요하며 다른 사람을 억압해서는 안 된다. 그럼에도 불구하고 보수 판에서 벌어지는 획일성 강요는 여기에 그치지 않고 다양하게 확산하고 있다. 대표적으로 비리재벌 맹목적 옹호, 대표적인 재벌기업이 곧 국가라는 확신, 규제 완화와 자유 시장 가치 맹종, 복지를 향한 비판적 시각이 바로 그것이다.

순수한 자유 시장경제 체제는 이론상으로만 존재할 뿐 지구촌 어디에도 현실로 존재하지 않는다. 기존 보수의 밑바닥에 자리 잡은 이러한 가치관은 이해관계자의 집요한 이념 전파로 형성된 논리에 불과할 뿐이다. 그 이해관계자는 당연히 대기업의 이해를 대변하는 대리인이다. 이 과정을 거쳐 한국 보수는 어느새 수구기득권의 가치를 맹목적으로 옹호하는 주요 기반이 되었다.

현대 민주주의는 돈이 아닌 사람이 지배하는 사회 시스템이다. 이런 시스템 아래에서 몇몇 기업을 맹목적으로 옹호하는 행위는 다수의 국민에게 외면받기 십상이다. 선거 날 저녁 사퇴하고 집으로 돌아간 전직 미통당 대표가 몇 개월간 수십 명을 동원해 만든 '경제 공약'이 한 번도 빛을 못 보고 사라진 데는 그만한 이유가 있는 것이다. 요즘 시대에 노골적으로 수구기득권 편을 드는 그런 경제 공약이 다수 국민에게 받아들여지겠는가?

보수의 확장성을 확보하려면 다수 국민이 환영하고 국가에도 이로운 가치와 공약을 내걸어야 한다. 여기에는 변화한 이념 가치 설명과 논리체계 구성이 필수적이다. 시대 변화를 설명하지 않은 채 제도 속의 누군가가 포퓰리즘 정책을 툭툭 던진다고 해서 확장성이 생기는 것은 결코 아니다. 진정한 확장성은 시대의 고민과 논리 구조를 담은 철학을 기반으로 해야 성립한다. 또한 보수의 새로운 가치는 일말의 연민뿐 아니라 동물, 자연, 환경 사랑을 담아내야 한다. 반려동물, 유기견, 길고양이를 포함한 모든 동물을 아끼고 사랑하며 자연과 환경보호 가치를 담고 있어야 한다. 동물, 자연, 환경을 사랑하지 않는 사람이 어찌 인간을 사랑할 수 있겠는가?

노블레스 오블리주Noblesse Oblige 정신을 갖춘다

현재 한국 보수에게 가장 결여된 사상이 노블레스 오블리주, 즉 사회 고위층의 수준 높은 도덕적 의무다. 아쉽게도 우리는 한국의 대통령, 총리, 장관 등 주요 인물의 공직 임명 청문회에서 그들의 도덕 수준이 일반 서민보다 훨씬 못하다는 것을 확인하곤 한다. 좌·우파를 막론하고 그들은 웬만하면 탈세, 부동산 투기, 다운계약서 작성, 위장 전입, 병역의무 회피, 논문 표절, 명의신탁, 차명거래, 음주운전, 자녀 스펙 조작, 뇌물 주고받기, 사회적 배경(빽) 남용, 부당 취업, 이해상충 등 거의 범죄 종합선물세트 수준의 삶을 살아왔다. 보수정당은 으레 혁신을 외치지만 그들의 삶은 대부분 완벽하게 수구 기득권 형태로 이어져 왔다.

사회적 의무에 보이는 책임감은 눈곱만큼도 없이 평생 호의호식하며 살아온 이들이 갑자기 개과천선하길 기대하는 것은 기적을 바라는 것과 같다. 한국 보수의 진정한 가치는 노블레스 오블리주의 삶을 살아온 사람들이 실현해야 한다. 그러니 이런 삶을 살아온 보수의 물결이 일어나 기존의 보수 정치인과 리더를 대체하는 길밖에 없다.

왜 서민 보수는 계급 배반 성향을 보이는가

이해충돌은 경제 문제가 아닌 '문화 현상'

소득계층에 따른 성향 분포를 보면 한국은 소득분위 80% 이상인 부유층, 중산층, 상층의 다수가 민주당을 비롯한 좌파 성향 정당을 지지한다. 오히려 중위소득 이하 서민층의 보수 지지율이 높은 것으로 나타나고 있다. 이는 전형적 계급 성향에 어긋난 투표행위로 볼 수 있다. 이처럼 국민의힘은 지지층 다수가 서민과 중산층이지만 그들은 이 계층의 이해를 대변하기보다 상류 기득권층을 대표해 왔다. 그런 성향은 경제·교육·사회복지 정책만 봐도 확연히 드러난다. 예를 들면 3,000여 가지가 넘는 대학입시 자율화 정책, 사시 폐지, 로스쿨·의전원 제도, 아파트 분양 정책, 규제 완화 위주의 대기업 이해 충족 정책이 있다. 이와 함께 보수정당과 보수단체는 종북좌파 척결을 외치고 민노총과 전교조를 반대하면서 서민 보수세력을 이념적·문화적으로 이끄는 모양새를 보인다.

미국은 과거에 중서부 이상의 많은 도시가 민주당 텃밭이었으나 최근 20년간 그 형세가 뒤집히면서 열렬한 트럼프 지지 지역으로 바뀐 곳이 많다. 미국 노동자와 농민이 극우 지지층으로 바뀐 이면에는 경제적 이해관계보다 워싱턴DC나 뉴욕의 상층 엘리트, 지식인, 기득권층을 향한 혐오라는 '문화 현상'이 자리 잡고 있다. 결국 미국과 한국 모두 계층 간 이해충돌은 경제 문제가 아닌 문화와 이념 문제에서 터져 나오는 셈이다. 박근혜 전 대통령 탄핵 이후 3년 반 동안 이어진 광화문·시청 앞 집회가 계속 '탄핵 반대', '박근혜 석방'으로만 모아진 것도 이런 현상과 관계가 있다.

본질과 비본질의 왜곡 현상

반면 좌파는 문재인 정권의 거듭된 독설과 전횡, 각종 의혹, 친북·친중 성향에도 불구하고 2016년 총선·2017년 대선·2018년 지방선거·2020년 총선 같은 네 번의 주요 선거에서 모두 이기는 그랜드슬램을 달성했다. 이는 유권자가 경제적 성과, 민주주의 시스템 유지·발전, 안보, 이념 등의 문제보다 '정의, 공정, 기회 균등, 약자 보호' 같은 문재인 정권의 선거용 프로파간다(대중 심리를 조종하는 선전 전략)에 더 호응했다는 것을 의미한다. 민주주의 최대 약점인 본질과 비본질의 왜곡 현상이 일어난 것이다. 정상적인 유권자라면 당연히 자신의 경제적 이해관계에 우선 집중하게 마련이다.

현실을 보자면 문재인 정권 들어 한국 정부는 소득주도성장 정책 아래 주52시간 근무제, 최저임금 인상을 시행했다. 이것은 결국 '국가주도성장'으로 왜곡되었고 수십조의 국가예산을 투입해 하나마나 한 노인·청년 일자리를 인위적으로 대거 양산했으나 그런 일자리가 국가경제에 미친 긍정적 효과는 거의 미미했다. 한마디로 대한민국은 통계상의 수치로만 존재하는 구소련 식 '통계민족국가'가 되어가고 있다. 서민과 중산층의 삶이 외형부터 무너져가고 있지만 어이없게도 유권자가 경제 실정에는 관심이 없고 정권의 선동에 더 호응하는 이상 현상이 3년 넘게 이어지고 있다.

이런 현상에 크게 기여한 것은 바로 한국 보수정당과 리더들의 기득권 지향적 성향, 부패 이미지 등이다. 어차피 보수와 진보 쌍방이 거짓을 말하는 상황에서 20~40대 층이 좀 더 그럴듯하고 기분 좋게 거짓을 말하는 좌파 진영을 선택했다고 봐야 한다. 현재 20대·30대·40대 모두 저성장, 양극화, 고실업률 시대를 살아가지만 그들은 삶이 안겨 주는 고통의 본질을 외면하고 피상적 느낌·정서·감각에 쏠려 정치적 선택을 하고 있다. 이처럼 자신이 속한 계급을 배반하는 투표는 정치인이 서민의 삶을 개선하기 위해 본질적인 개혁에 나서도록 하는 것을 가로막는다.

사실 서민 보수층은 엄청난 정치 열정을 보이지만 그들이 직면하고 있는 것은 정치적 허무주의와 패배다. 그들 중 다수가 3년 반 동안 광화문, 시청, 서울역 앞에서 매주 시위에 참가하는 '열정'을 보였으나 그것은 허무하게 착취당하는 결과로 나타났다. 애초에 탄핵 무효 시위를 주도한 보수 리더들은 서민 보수층의 삶을 개선하는 데 관심이 없었고 오로지 '투쟁적 어젠다 지속'으로 얻을 잿밥에만 관심이 있었을 뿐이다. 따지고 보면 좌파에게 열정을 착취당한 젊은 세대보다 수꼴들에게 열정을 착취당한 서민 보수가 더 안타깝다.

보수 무력화와 20 대 80의 사회

대중은 계급 배반 정치 성향이나 투표를 조심해야 한다. 한국은 엄격하게 1 대 99 사회지만 중산층의 19%는 자신이 상위 1%에 도달할 수 있다는 확신 아래 상층 1%와 유사한 사회적·문화적·관습적 정서와 성향을 보인다. 그 19%에는 전문직 종사자도 있지만 2000년대 이후 대기업 직원, 공무원, 공기업과 공공기관 직원, 언론인, 법조인, 성공한 자영업자도 이 계층에 속한다. 이들은 스스로를 상층이라 착각하며 나머지 80% 서민 대중은 자신들과 다른 계층이라고 여긴다. 자부심이 강한 이들은 한국 사회에서 영향력을 행사하며 정치적으로 합리적인 보수거나 진보인 양 포장하는 데 익숙하다. 나아가 이들은 자신의 이해관계에 따라 그때그때 정치 포지션을 쉽게 바꾼다.

그 나머지 약 80% 계층 중 절반가량이 적극적인 대깨문이나 수꼴이고 40%는 그때그때 매체와 선동에 휩쓸리는 세력이다. 중산층 19%는 부동산, 교육, 로스쿨·의전원 같은 음서제도, 각종 자산 투자에서 철저히 자신의 부 축적과 신분 유지·세습에 유리한 이해 측면으로 한국 사회 좌우 정당을 몰아가며 영향을 끼친다. 정작 삶이 그리 안정적이지 않은 나머지 80%는 경제적·계층적 이해관계에 상관없이 이념과 정치 요인, 사회·문화 요인에 따라 투표하거나 지지를 보낸다. 이는 한국뿐 아니라 전 세계에서 유사하게 나타나고 있는 현상이다.

그리고 정치적 노예 현상

미국 중산층도 입으로는 환경, 인권, 소수자 권리 보호, 세계화, 자유주의를 외치지만 막상 자신의 경제적 이해관계와 부딪치는 문제가 생기면 철저히 이해타산에 밝게 움직인다. 반대로 나머지 80%는 월가의 유대인, 뉴욕의 지식인과 정치인의 위선을 싫어해 선동하는 도널드 트럼프나 버니 샌더스를 막연히 지지한다.

정작 미국 중산층 20%는 바이든이나 공화당 주류처럼 기득권을 철저히 옹호하는 쪽을 지지한다. 영국 브렉시트 투표에서도 런던의 상류층 금융가와 전문직 고소득자, 고학력자들은 브렉시트에 반대했고 저소득·저학력·서민 계층은 찬성했다. 그래도 미국과 영국의 서민층 80%는 자신의 이익을 침해하는 쪽이 누구이고 무엇인지 그 분노의 대상을 파악해 정치적 선택을 한다.

이와 달리 한국의 서민층 80%는 지역주의 문제와 이념에 설득당

해 포퓰리즘 단계까지 가보지도 못한 채 좌우 기득권의 홍위병 역할을 하거나 선전 도구로 쓰인다. 국민 다수가 정치에 관심이 많으면서도 막상 정치적 선택을 형편없이 하는 이유가 여기에 있다.

기성 제1 여·야 당이 동시에 몰락하는 프랑스, 극좌·극우 정당이 약진하는 독일, 포퓰리즘 정당이 득세하지 못하는 이탈리아와 한국이 다른 이유는 서민 대중 다수가 '정치적 노예 현상'을 보이거나 '기성 정치 폭로 현상'을 보이기 때문이다. 이런 상황에서 한국 정치가 서민 대중을 위한 정책을 채택한다는 것은 불가능하다.

코로나19
폐쇄·성곽경제 시대

자유무역의 축소와 보호무역의 확산

미국의 대표적 친중파로 외교가의 대부인 헨리 키신저 전 국무장관은 2020년 4월 초, 코로나19로 세계 질서가 바뀔 것이라며 자유경제는 가고 과거의 성곽경제 시대가 다시 올 것이라고 말했다. 그는 코로나 팬데믹이 끝나도 상황은 마찬가지라고도 언급했다.

코로나19 이후 세계는 그 이전과 전혀 같지 않을 것이다. 미국은 바이러스로부터 국민을 보호하는 한편 새로운 시대를 계획하는 시급한 작업에 들어가야 한다. 보건위기는 일시적이지만 정치·경제 격변은 세대에 걸쳐 이어질 수 있다. 이에 따라 자유세계 질서가 위협받을 수 있다.

이미 코로나19 여파로 이방인과 외국인을 향한 공포·거부감이 보편화하고 이주하거나 해외로 진출한 각국 생산 공장들이 다시 본국으로 돌아가는 리쇼어링이 점차 늘어나고 있다. 이는 코로나19 팬데믹으로 각국이 셧다운이나 출입국 금지 조치 등을 내리면서 충격을 받은 기업이 많기 때문이다. 헨리 키신저는 이러한 변화가 자유무역 쇠퇴를 불러올 수 있다고 본 것이다.

대공황 직후인 1930년 7월 미국은 '스무트–홀리 관세법'에 따라 주변국에 59%나 높은 관세를 요구했고 자연스레 주변국들은 앞다퉈 보호무역을 추구했다. 그러자 보호무역주의가 전 세계로 확산해 자유무역이 급격히 축소되면서 보호무역의 선두주자였던 미국은 GDP가 19% 감소하는 경제적 피해를 봤다.

위기의 끝은 공황

1929년부터 1939년 제2차 세계대전 발발까지 지속된 세계경제 침체 국면을 대공황이라고 한다. 이것은 인류 역사상 산업화한 국가가 겪은 가장 길고 심각한 공황으로 당시 모든 국가가 자유무역을 제한하면서 전 지구 차원에서 모두가 생산 위축, 고실업률, 엄청난 디플레이션을 경험했다. 이런 현상이 가장 극심했던 때는 1933년으로 그해 미국 실업률은 무려 37%에 달했다. 대공황 시작 직전 미국의 많은 경제학자와 기업가가 "미국이 견고한 번영의 길에 들어섰다"고 말했다.

재밌게도 《이번엔 다르다》를 쓴 하버드대학교 경제학과 교수 케

네스 로고프는 2008년 금융위기 때처럼 일시적 공황이 찾아오면 사람들은 "이번엔 전과 달리 위기는 오지 않을 거야"라고 헛된 희망을 품지만 결국 공황의 끝은 위기라는 것을 역사적으로 검증했다. 1930년대 대공황은 프랭클린 루스벨트 대통령의 뉴딜New Deal 정책이 아니라 견디다 못한 독일, 일본, 이탈리아가 전쟁을 일으키면서 해소되기 시작했다. 전쟁이 실업난 해소와 수요 폭증의 좋은 수단이라는 점이 입증된 셈이다.

이제 세계가 코로나19 여파로 성곽경제로 가는 이 시점에 우리는 전 세계가 극심한 보호무역으로 겪었던 대공황에서 교훈을 얻어야 한다. 1920년대 초반 미국을 비롯한 전 세계는 엄청난 호황기를 누렸다.

하지만 1920년대 후반으로 가면서 경기는 서서히 추락하기 시작했다. 당시 높은 기술혁신과 2차 산업혁명으로 생산량, 즉 공급은 이전보다 폭증했으나 노동자와 농민의 생활 여건은 나아지지 않아 소비는 부진했다. 노동자들까지도 소비보다 주식 투기에 나서고 부동산 투기까지 극심해지면서 증시가 붕괴되기 시작했다.

이때 미 연방준비제도FRS는 금본위 화폐제도에 문제가 생길 것을 우려해 금 외부 유출을 막고자 금리를 올리는 조치를 취했고, 화폐 발행액은 줄어들었다. 금리가 오르면서 증시가 추락하자 정치인들은 경기하락을 염려해 보호무역 쪽으로 돌아섰다. 결국 미국이 관세를 올리면 상대국이 보복관세를 때리면서 교역은 점차 위축되었고 대공황은 더욱 심화했다.

현재 세계경제는 코로나19 여파로 인력·상품·자본 교류가 급속히 줄고 있고 각국은 점점 더 폐쇄경제를 지향하고 있다. 한마디로 코로나19 이후 세계는 대공황 때와 비슷해지고 있다. 실제로 한국은 2020년 4월 수출물량이 12.6% 급감해 금융위기 직후인 2009년 1월(-26.7%) 이후 11년 3개월 만에 최대 하락폭을 기록했다.

미국도 2020년 3월 수출 9.6%, 수입 6.2%가 감소했고 무역적자는 444억 달러로 늘어났다. 세계무역기구WTO는 2020년 5월 20일 상품교역지수가 2월의 95.5에서 5월의 87.6으로 추락해 2020년 상반기 상품무역이 13~32%까지 감소할 것으로 전망했다.

여기서 상품교역지수란 수출 주문, 항공 화물, 컨테이너 출하, 자동차 생산과 판매, 전자기기와 농산품 무역 등을 종합해 무역동향을 예상하는 지수를 말한다. 그런데 상품뿐 아니라 교역과 인력 유입도 중단되기 시작했다. WTO는 팬데믹 기간과 각국 정책에 따라 무역이 받는 영향은 달라질 것이라고 예측했다.

극단적인 폐쇄경제

코로나19 사태로 대선 환경이 불리해지자 트럼프는 미국 내 실업 대란을 이유로 전문직 취업비자, 미국 유학생의 졸업 후 취업 프로그램, 교환연수비자의 신규 발급을 중단하거나 축소 발급하겠다고 발표했다. 이것은 구직을 위해 미국으로 들어오는 외국 근로자나 미국에서 공부를 마치고 취업하려는 외국 유학생의 취업을 어렵게 하려는 의도로 봐야 한다. 나아가 2020년 5월 28일 홍콩보안법이 통과하자 미국은 중국군과 연계된 것으로 의심이 가는 중국 유학생 3,000명을 추방하는 방안을 검토했는데, 미 언론은 미국 내 중국 유학생 36만 명 중 다수가 몰락할 것이라고 보도했다.

한때 중동의 보석으로 불린 아랍에미리트연합국UAE 두바이는 코로나19로 인한 인력 유출이 심각해져 쇠락할 것이라는 전망이 나오고 있다. 이를테면 두바이 기업의 약 70%가 향후 6개월 내에 외국 근로자의 이탈과 코로나19 여파에 따른 영업 중단으로 폐업할 가능성이 크다는 얘기다. UAE는 인구 990만 명 중 87%인 860만 명이 외국인 노동자다.

한편 뉴질랜드 부총리 겸 외교 장관인 윈스턴 피터스는 2020년 5월 12일 일자리가 없는 외국인 노동자는 본국으로 돌아가는 문제를 고려해야 한다고 주장했다. 그는 코로나19로 인해 세상이 완전히 변했고 뉴질랜드는 일이 없는 외국인 노동자를 세금으로 지원할 수 없으므로 본국으로 돌아가야 한다고 말했다. 덧붙여 그는 외국에 나가 있는 뉴질랜드인들에게도 코로나19 영향으로 똑같은 일이 발생해 8만 명이 귀국했고 계속 귀국하고 있다고 했다. 뉴질랜드에는 38만 명의 외국인과 이주 노동자가 있는 것으로 알려져 있다.

이처럼 코로나19는 외국인 노동자와 난민 등 소외계층의 차별, 학대, 사망률에 더 가혹하게 작용하고 있다. 나아가 전 세계가 외국인 입국 금지를 확대하면서 상품 교역에 이어 인력 교류조차 어려워지는 극단적 폐쇄경제 상태에 돌입해 있다. 이렇듯 전 세계경제가 총체적으로 분리되는 와중에 자본 투자도 경제상황 예측 불가성과 폐쇄적인 경제관 때문에 급격히 축소되고 있다.

중국의 경우 코로나19가 경제 붕괴를 촉진하자 위기에 처한 중국 정권은 홍콩의 경제적 자유를 보장하는 일국양제를 포기하고 홍콩보안법을 통과시키는 강수를 두었다. 이에 미국 트럼프는 홍콩의 특별지위 박탈 절차를 밟았는데 결국 홍콩 내 1000조(달러?) 이상의 자본이 이탈하면서 홍콩은 동북아의 금융허브 위치를 잃을 전망이다.

코로나19는 세계경제를 상품·노동·자본 차원에서 완전히 분리하고 있다. 이는 점차 현실로 가시화하고 있다. 더구나 미국에서는 WTO가 중국에 특혜를 준다고 지적하며 탈퇴할 것을 주장하는 목소리가 커지고 있다. 미국은 여야를 가리지 않고 자국이 WTO의 무역규칙을 지키는 동안 중국은 WTO의 개방적인 글로벌 무역체제를 악용해 경제대국으로 올라섰다고 주장한다. 대외적으로 G2라며 세계 2위 경제대국임을 뽐내는 중국이 WTO 내에서는 '개발도상국 지위'에 따른 무역과 경제 혜택을 누리며 미국의 희생을 바탕으로 성장했다는 얘기다.

미국은 중국이 WTO에 가입한 2001년 이후 중국의 저임금 노동과 자국 기업의 생산기지 중국 이전으로 미국 내 제조업 일자리가 사라지고 중국의 대미 저가 수출이 늘어나 중산층이 경제적 타격을 입었다고 생각한다. 결국 호베르투 아제베두 WTO 사무총장은 2020년 5월 14일 임기를 1년 이상 남겨둔 상태에서 전격 사임했다.

코로나19가 빚어낸
대량실업·부도 위기

IMF 사태 이후 달라진 한국 사회

1997년 IMF 사태는 한국 사회를 크게 바꿔놓은 전환점이었다. IMF 사태 이전까지 한국은 30년간 고도성장 사회를 이어왔다. 물론 국가주도의 선별적 차등 성장이 있었고 부패가 만연한데다 불평등이 넘쳐났지만 고도성장 속에서 부패와 불평등은 필요악으로 여겨졌다. 이때 경제 파이가 급격히 커지면서 기아와 열악한 주거 환경을 극복하고 2000년 한국 역사 중 유일하게 중산층이라는 새로운 평민 계급이 형성되었다.

이 시기에는 시골에서 상경해 10대 중후반에 공장 직공이나 식당 배달부로 일해도 결혼해서 집을 사고 자녀를 대학에 보내는 꿈이 존재했다. 사람들은 성실히 일하면 누구나 중산층이 될 수 있다는 환상에 젖었고 1980년대부터 대량 보급한 대도시 아파트는 이 로망을 현실로 만들어 주었다. 하지만 1997년 IMF 사태 이후 한국 사회는 많은 변화를 겪었다. 과연 어떻게 달라졌을까?

첫째, IMF 사태는 누구나 중산층이 될 수 있고 일단 중산층이 되면 다시는 추락하지 않는다는 희망이 헛된 꿈임을 여지없이 보여 줬다. 실제로 IMF 사태는 많은 중산층이 도시 빈곤층으로 추락하게 만들었다. 예를 들면 IMF 이전 은행 직원으로 일하다가 은행이 망해 직장을 잃은 사람들 중 다수가 빈곤층으로 전락했다는 조사 결과도 있다.

둘째, 연공서열형 평생직장 개념이 무너지고 본격적으로 '노동 유연화' 사회가 시작되었다.

셋째, IMF 사태는 한국경제의 지속적인 고도성장이 물리적으로 불가능하다는 것을 자각게 했고 우리가 '중진국의 함정'이라는 틀에 갇히기 시작했음을 실감하게 했다.

넷째, IMF 사태 직전 경제협력개발기구OECD에 가입해 선진국의 꿈에 부풀었던 한국인이 정치·사회·경제 시스템, 즉 양심, 신뢰, 청렴성, 도덕성, 투명성, 제도 구비, 법제화 같은 '사회적 자본'의 발전 없이는 선진국이 될 수 없음을 자각하게 했다.

이처럼 IMF 사태는 한국의 성장 신화가 무너지는 터닝 포인트였고 그 후 한국 사회는 다시는 IMF 이전으로 돌아가지 못했다. 당시 한국인은 대량실업과 대량부도 사회가 어떤 것인지 처음으로 실감했다. IMF를 겪으며 한국 사회는 저성장 사회로 추락하기 시작했고 실업률과 자영업·기업의 부도율이 점차 높아졌다. 그 뒤 2008년 금융위기는 잘 피해갔지만 2020년 코로나19 사태가 저성장, 고실업률, 양극화가 고착된 한국 사회에 치명타를 안기면서 IMF 때보다 몇 배 더한 경제적 퍼펙트 스톰(초대형 위기) 상황에 놓였다.

코로나19 이후 달라지는 세계

코로나19는 미국, 한국 등 세계 모든 국가에 방역과 경제 중 하나를 선택하라고 요구한다. 미국은 2020년 5월 중순부터 코로나19가 다소 소강상태에 들어가자 경제를 위해 셧다운을 풀었는데 곧바로 절반이 넘는 주에서 코로나19 확진자와 사망자가 대폭 늘어났다. 한국도 2020년 4월 말을 기점으로 사회적 거리두기를 완화하면서 6월 초부터 수도권에 확산세가 심해졌다. 이처럼 코로나19는 목숨과 먹거리 중 하나를 택할 것을 강요하고 있고, 많은 나라가 먹거리를 위해 코로나19 대량 확산을 방치하는 쪽으로 가고 있다.

이 추세대로라면 1920년 스페인독감처럼 코로나19로 수억 명의 감염자와 수천만 명의 사망자가 발생할 가능성이 있다. 2020년 9월 21일 현재 전 세계 코로나19 확진자는 3070만 명이고 사망자는 96만 명이다. 공식 사망자만 해도 사망률이 3%를 넘지만 실제 사망률은 이보다 훨씬 더 높을 것으로 보인다. 실제로 병원 밖에서 사망하지 않은 코로나19 사망자는 집계에서 누락되어 있다. 인도, 멕시코, 브라질, 동남아, 남미, 아프리카 등에서의 사망자는 일부만 집계된 것으로 추정된다.

세계 각국에서 100여 개 회사가 백신과 치료제 개발에 나서고 있으나 2020년 9월 중순 현재 관점에서 백신은 2021년 말이나 공급 가능하고, 그 성과도 의심받고 있다. 설령 백신을 개발해도 빠른 변이 탓에 한 해에 여러 번 맞아야 할 만큼 실효성이 떨어질 가능성도 크다. 코로나19가 한 달에 한 번씩 변이를 일으키는 바람에 그 변종에 공통으로 적용 가능한 포괄적 치료제를 만들기도 어려운 상황이다. 기성 약물을 혼합해 코로나19에 효과가 있는 칵테일형 치료약은 나오겠지만 그 효능을 두고 치료약이라 할 수 있을지 의심이 간다.

어쩌면 코로나19는 세계적인 풍토병으로 남아 계절마다 찾아오는 독감 형태로 정착할지도 모른다. 이 경우 세계인의 60~70%가 감염되어야 진정세에 접어든다. 물론 이것은 어디까지나 현재 시점의 추정에 불과하며 모든 감염자에게 항체가 생기는지, 항체가 있으면 재감염이 일어나지 않는지는 의문이다. 그렇다면 코로나19 시대에 세계경제는 수년간 국경을 차단한 채 폐쇄적 성곽경제로 갈 수밖에 없다. 나라 안에서만 생계를 위해 셧다운을 풀고 경제활동을 허용하는 형태로 가게 된다는 얘기다.

각 나라가 국경을 성곽 삼아 각자 성곽 내의 전염력을 낮추는 데 치중하면 무역 전망은 당연히 암울해진다. 추측하건대 현재 교역 수준의 3분의 1이 사라질 것으로 보인다. 이미 코로나19에 따른 국경 차단과 자국 이기주의를 목격한 미국, 유럽, 일본은 해외 생산기지를 폐쇄하고 주요 기업의 글로벌 서플라이 체인을 국내로 복원하는 리쇼어링 정책을 강력히 추진·지원하고 있다. 가령 미국 복지부는 최근 벤처제약사 플로와 8억 1200만 달러(약 1조 원)짜리 리쇼어링 계약을 맺었다. 미 정부는 미국의 의약품 수입(연간 1600억 달러) 중 절반을 자국 내 생산으로 돌리면 연간 80만 개의 일자리가 생긴다고 추정했다. 코로나19 때문에 가장 시급한 품목인 의약품이 성곽경제 대상 1호인 셈이다.

결국 성곽경제 시대에는 세계무역량이 줄어들 수밖에 없는데 이는 생산량 저하, 일자리 감소로 이어질 전망이다. 이것은 다시 세계 각국의 GDP를 급격히 떨어뜨려 대부분의 나라가 −10〜−30%라는 GDP성장률 추락을 겪을 것으로 보인다.

2020년 6월 IMF는 주요 나라의 GDP성장률 예측치를 발표했는데 두 달 전인 4월에 발표할 때보다 훨씬 후퇴한 수치를 내놓았다. 당초 2020년 9월쯤 코로나19가 소멸될 것으로 가정한 IMF가 2020년 내에 소멸 가능성이 없다고 판단해 두 달 만에 수정해서 발표한 것이다. 어쩌면 IMF는 2020년 말까지 GDP성장률 예측치를 몇 번 더 하향 수정해서 발표할지도 모른다.

2020년 6월 25일 IMF는 한국의 2020년 GDP성장률을 4월 말의 −1.2%에서 0.9% 더 낮춰 −2.1%로 발표했다. 같은 날 언론은 민간, 즉 가계와 기업의 부채 합계가 GDP의 202.1%를 넘어섰다고 보도했다. 이는 GDP의 2배에 달하는 액수다. 더군다나 한국은행은 2020년 말까지 수입보다 지출이 많은 적자 가구 중 76만 가구가 파산 상태에 이르고, 기업의 유동성 부족 규모가 54조 4000억 원에 달하며, 127만 명의 청년이 구직을 단념할 것이라는 추정치를 발표했다. 그

뿐 아니라 서울의 대표 상가 이태원의 공실률이 30%가 넘고 압구정동도 15% 이상이며 신촌, 홍대, 명동 등 서울 곳곳에 빈 상가가 늘어나는 한편 권리금이 반토막 나고 있다는 보도가 잇따르고 있다.

WHO 역시 2020년 6월 넷째 주 내에 세계 코로나19 확진자가 1000만 명, 사망자는 50만 명을 넘어설 것이라고 예측했다. 미국에서는 2020년 9월까지 16만 명이 사망할 것이라는 예측모델도 발표했다. 그러나 2020년 9월 19일 현재, 미국의 코로나19 사망자는 20만 명을 넘었다. 2020년 9월 말을 기준으로 상황을 분석해 보면 코로나19가 조만간 사라지거나 치료제, 백신을 개발할 가능성은 희박하고 확진자의 3% 이상이 사망하는 패턴이 고착화하고 있다.

예를 들어 확진자가 1억 명이면 300만 명이 사망하고, 확진자가 5억 명이면 스페인독감 사망자와 비슷한 1500만 명이 사망하는 식이다. 2020년 여름 동안 대폭 늘어난 확진자와 다소 낮아진 사망률은 북반구에서 코로나 발병 이후 가을에서 겨울로 넘어가는 시점에 독감 등이 겹치면서 많은 사망자를 낳을 것이라고 미국의 파우치 박사, 빌 게이츠, WHO 등은 예측하고 있다.

AI와 로봇, 자율주행차, 드론 시대에 코로나19로 스페인독감과 비슷한 숫자가 사망한다면 인류의 과학기술 문명에 그만큼 한계가 있다는 의미가 아닐까? 이 시점에 인류는 과학기술 발전 문제를 스스로 되돌아봐야 한다.

세계화의 종말을 앞당기는

코로나19는 전 세계경제를 무너뜨리면서 신자유주의와 세계화의 종말을 앞당기고 있다. 머지않아 한국에서도 다수의 자영업자와 영세 소상공인이 무너지고 중소기업, 중견기업, 심지어 대기업이 부도로 쓰러지면서 많은 실업자가 쏟아져 나오는 상황이 펼쳐질 것이다. 일본 SF 애니메이션 〈인랑〉에 등장하는 제2차 세계대전 이후 쇠락한 일본 사회의 암울한 분위기가 코로나19 확산 뒤 한국 사회에 그대로 재현될 수도 있다. 한국에서 실사영화로 제작한 〈인랑〉은 2029년 남북한 정부가 통일 5개년 계획을 발표한 뒤 강대국의 경제 제재로 민생이 피폐해지고 곳곳에서 무장시위가 벌어지는 상황을 배경으로 한다.

2020년 4월 넷플릭스에서 개봉한 〈사냥의 시간〉은 가까운 미래에 한국경제가 붕괴되면서 극심한 인플레이션으로 한국 돈보다 달러로 거래가 이뤄지고 엄청난 빈부격차에다 거리는 할렘처럼 황폐해진 채 시위대로 가득한 포스트 아포칼립스적 상황을 배경으로 한다. 여기에 더해 중국 자본이 넘쳐나고 일자리는 사라지며 범죄율이 높아져 살아남으려면 불법이든 무엇이든 저질러야 하는 시대 상황을 그리고 있다. 코로나19가 한국경제를 무너뜨린다면 그 이후의 모습은 〈인랑〉이나 〈사냥의 시간〉 같은 상황이 아닐까? 이 시점에서 우리는 다시 한번 스스로 경각심을 불러일으킬 필요가 있다.

지금도 힘들지만 진짜 위기는
아직 오지 않았다

조기 노쇠화 현상이 나타나고 있는 한국경제

코로나19 사태가 길어지면서 국가가 수십조 단위의 추경으로 재난지원금, 실업급여, 금융완화, 각종 지원 정책을 지속하면 머지않아 곳간이 텅 비고 부채는 급속히 증가할 수밖에 없다. 기업과 자영업의 매출이 빠른 속도로 줄어들고 심지어 폐업하는 경우가 늘어나다 보니 2020년 세수는 30조 원 정도 펑크가 날 전망이다. GDP는 1분기 −1.3%, 2분기 −3.3%로 2분기 연속 마이너스 성장을 기록하고 있다. 한국은행은 3, 4분기에 GDP가 1.8%에서 1.9% 성장해야 연간 −1%를 달성한다고 밝혔다.

현재 한국경제는 주력 수출 품목인 자동차, 조선, 석유화학, 철강이 모두 부진하고 제조업 전체가 빠르게 불황으로 접어들고 있는 실정이다. 나아가 전 세계가 코로나19에 따른 폐쇄경제로 들어선 상황에서 투자, 소비, 수출이 모두 부진한 가운데 한국경제에 조기 노쇠화 현상이 나타나고 있다.

더 큰 문제는 문재인 정권이 3대 차세대 신기술로 내세운 비메모리 반도체, 자율주행차, 바이오산업이 모두 시원찮다는 점이다. 170조 원 규모의 한국형 뉴딜의 양대 축으로 내세운 그린뉴딜과 디지털뉴딜 역시 고용창출과 GDP성장률에 별로 기여할 것 같지 않다. 또한 입만 열면 강조하는 4차 산업혁명 시대의 IT 신기술, 즉 AI, 3D프린트, 로봇, 초고속 실시간 통신, 스마트팩토리, 스마트그리드, 스마트시티, 원격의료, 앱산업 등 어느 것도 제대로 한 방을 터뜨릴 것처럼 보이지 않는다.

한국 제조업의 문제는 혁신이 전방위나 후방위, 측면으로 확산하지 않고 몇몇 기업만의 '재미'로 끝난다는 데 있다. 특히 삼성의 반도체·디스플레이·스마트폰, 네이버나 다음 같은 포털산업, 게임산업, K팝·K컬처 등의 엔터테인먼트산업에서 이런 현상이 확연히 드러나고 있다.

2020년 3월 초 미국 싱크탱크 브루킹스 연구소는 2020년 한국 GDP가 최소 37조 원에서 최대 147조 원 정도 감소할 수 있다고 분석했다. 그때는 코로나19 초창기라 지금처럼 상황이 심각하지도 않았다. 브루킹스 연구소는 코로나19가 스페인독감처럼 심각해지면 세계 GDP가 9조 달러 이상 사라질 것으로 예상했는데 현재 양상이 그처럼 최악 수준으로 가고 있다. 2020년 한국 GDP는 최소 147조 원 이상 감소할 것으로 보인다. 5월 20일 한국개발연구원KDI은 2020년 한국의 경제성장률을 0.2%로 예상하고 최악의 경우 −1.6%일 것이라고 했지만 7월 말 현재 이미 예상 수준보다 훨씬 더 나빠지고 있다.

산사태처럼 늘어나는 민간 부채

관치화한 한국의 국책연구소나 공직자가 눈치를 보느라 코로나19의 충격을 제대로 예상하지 못하는 것은 지극히 당연한 일이다. 심각한 성장률 둔화가 기정사실화하면서 실업, 폐업, 부도가 늘어나고 민간 부채도 급증하고 있다. 사상 최악의 세계적인 경제위기에도 한국에서는 부동산 가격이 사상 최고로 폭등하고 주식시장에서는 동학개미의 묻지마 식 주식투자가 극성이다.

국회예산정책처에 따르면 한국의 민간 부채는 위험 수위에 도달해 있고, 2020년 3월 말 GDP 대비 201.1%로 처음 200%를 넘어섰다. 이는 1년 전인 2019년 3월 말에 비해 12.3%가 증가한 것이며, 2019년 12월 말에 비해서도 4.1%가 올랐다. 관련 통계 작성 이후 최대치의 증가폭을 기록하고 있는 것이다. 그럼에도 불구하고 문재인 정권은 코로나19를 극복한다며 기업과 자영업에 수십조의 긴급경영안정자금을 제공하고 있다.

민간 부채 201.1%의 내용을 보면, 가계신용이 96.8%로 역대 최고이고 기업신용 역시 104.3%로 통계 작성 이후 최고 수준이다. 2020년 6월 24일 한국은행은 코로나19 충격이 1년 더 가면 가계가 갚지 못하는 부채가 최대 111조 3000억 원에 달할 것이라고 추정했다. 이 중 자영업가구 부채는 59조 1000억 원, 임금근로가구 부채는 52조 2000억 원이다. 이 액수는 코로나19 충격이 6개월~1년 미만 지속되고 실직이나 매출 감소로 소득이 지출을 밑도는 임금근로와 자영업 가구를 추정한 것이다. 이 와중에 버틸 여력이 있는 기업들의 1~3월 자금조달액은 28조 2000억 원으로 추정하고 있는데 이는 기업들이 2020년 말을 넘기면 자금조달이 어려울 것으로 보고 본능적으로 현금 확보에 나섰기 때문이다.

IMF 보다 더 심각한 코로나

현대경제연구원은 코로나19가 출현하기도 전인 2020년 초 '올해의 글로벌 트렌드'로 "올해 기업부채가 산사태처럼 세계경제를 덮칠 것"이라고 예고한 바 있다. 게다가 2020년 6월 25일 고려대학교 보건과학대 김승섭 교수는 이렇게 말했다.

코로나 위기는 IMF에 비견할 수 있고 특히 비정규직에게 심각한 경제적 타격을 가하고 있다. IMF 때인 1997년 12월부터 3개월간 취업자 수가 103만 명 감소했고 2008년 금융위기 때는 25만 명이 감소했는데 올해 2월부터 3개월간 취업자 수는 87만 명 감소한 상황이다. 그럼에도 불구하고 사회가 조용한 이유는 IMF 20년 동안 노동 시장이 변했기 때문이다.

이 말은 IMF 사태 이후 20년간 한국 사회에 늘 고용불안에 시달리는 비정규직·파견·하청 노동자가 많이 증가해 다들 체념 상태에 빠져 있다는 의미다. 그중에서도 남성보다 여성, 60대 이상, 임시직이 주로 해고를 당한다. 또한 김 교수는 코로나19로 인해 정규직과 비정규직의 사회적 지위나 경제 격차가 더 벌어지고 있다고 언급했다. 조사 결과를 보면 비정규직과 정규직의 실직률은 무려 6배 차이가 나고 실업급여 수령에서도 비정규직이 수령하지 못한 비율이 월등히 높다. 그야말로 '가장 위태로운 사람들이 가장 적게 보호받는 상황'인 것이다.

그 외에 실직, 노동시간 감소, 기본급 삭감, 성과급 감소 등 소득 감소 비율도 비정규직이 월등히 높았다. 김 교수는 미국 컬럼비아대학교 존 C. 머터 교수의 책 《재난 불평등》을 인용하며 "한 달에 150만 원을 벌던 사람이 50만 원을 잃게 되는 것과 1500만 원을 벌던 사람이 50만 원을 잃게 되는 것은 그 의미가 전혀 다르다"라고 말했다. 손실 규모만 보면 작은 사건처럼 여겨지지만 가난한 사람의 입장에서는 어마어마한 피해라는 얘기다. 이미 우리 사회에는 해고와 소득감소 충격이 엄청나게 밀어닥쳐 쓰나미로 커지고 있지만 사회적 영향력이 작은, 이들의 목소리는 모래알처럼 흩어져 철저히 무시당하고 있다.

2020년 7월 14일 OECD는 코로나19 위기 첫 3개월간 근로시간 손실이 2007~2008년 글로벌 금융위기 때보다 10배 더 컸다고 말하며 실직과 근로자 소득감소 현상이 전 세계 차원에서 일어나고 있다고 밝혔다. 지금은 부도, 폐업, 실직이 한국과 세계에서 보편화하고 있고 그에 따른 대량실업과 빈곤이 가시화하고 있다.

비계획적으로 써대는 선심성 예산

2020년 들어 한국은 1차 추경(11조 7000억 원), 2차 추경(12조 2000억 원)을 편성했고, 3차 추경(35조 3000억 원)도 7월 3일 국회에서 통과되었다. 추석을 앞두고 7조 8000억 원의 4차 추경이 국회에서 통과했다.

한국이 한 해에 세 번이나 추경을 한 것은 오일쇼크 때인 1972년 이후 48년만의 일이다. 이제 겨우 코로나19의 긴 터널에서 초반을 지나고 있는 한국이 이렇게 비계획적으로 선심성 예산을 써대면 2020년 말 이후 해고와 폐업이 본격화할 경우 어떻게 감당할지 걱정이다. 지금 같은 상태가 1년쯤 지속되면 버텨낼 자영업자나 기업이 많지 않으리라는 것은 우리 모두 잘 알고 있다.

포스트 코로나19 · 대공황 · 포퓰리즘

국민의 기본 행복권인 주거 문제는 순수 대중의 포퓰리즘 운동 방식이 아니면 해결하기 어렵다. 국민의 절반 이상이 겪고 있는 '주거 고난'을 기성 정치권이 해결할 수 없다면 서민 대중 스스로 생존 투쟁에 나서야 한다.

2008년 금융위기의 원인과
포플리즘의 기원

포플리즘의 시발점

21세기 들어 포플리즘은 시대적 대세로 굳어가고 있고, 이는 코로나19 이전에도 마찬가지였다. 단지 코로나19가 포플리즘 전면 도래 시대를 몇 년쯤 앞당긴 것뿐이다. 21세기 들어 포플리즘이 성행하게 만든 시발점은 2008년 금융위기다.

1990년 말 무렵 IT산업과 인터넷이 폭발적으로 성장한 미국경제는 2008년 금융위기 전 벤처기업이 각광받고 주식시장 과열 현상으로 신경제·신시장이라는 'IT 버블 붐'이 한창이었다. 특히 인터넷 시대가 열리면서 인터넷산업이 기존 산업을 뛰어넘어 신경제를 이룰 것이라는 예상에 엄청난 돈이 IT 분야로 몰려들었다. 심지어 투기·투매 현상까지 일어날 정도였다. 하지만 이런 환상은 그리 오래가지 않았다. 인터넷을 기반으로 한 IT산업의 수익과 전망이 과대 포장되어 주식 투기 붐만 일으켰지 그 실체가 수익성이나 기술 발전에서 우월하지 않은 것으로 드러나자 대다수 IT 닷컴회사와 벤처회사는 도산했고 투자자들은 수백억 달러를 날렸다.

그럼에도 불구하고 이 시대는 골디락스Goldilocks, 즉 경제성장률이 높으면서도 물가상승 압력은 별로 없는 이상적인 경제상황으로 포장되었다. 모든 경기가 호황일 때는 인플레이션이 발생하고 경기가 침체되거나 제자리걸음을 하면 분기별 물가는 안정되지만 실업률이 상승한다. 그런 의미에서 골디락스 경제는 성장률이 높으면서도 물가를 안정적으로 유지하는 상태이므로 국민의 삶의 여건이 호전되는 이상적인 경제 상태다.

1995년부터 2000년까지 미국경제와 세계경제는 이런 거품경제에 빠져 주가가 폭발적으로 상승했다. 그러다가 거품이 빠지자 세계경제는 다시 제조업과 금융 산업을 강조하기 시작했고 전 세계에서 돈, 사람, 자본이 국경 없이 드나드는 신자유주의 경제체제가 확고해졌다. 특히 WTO 출범과 중국의 WTO 가입은 신자유주의와 세계화 붐을 가속화했다. 미국 내부에서 거품이 꺼진 닷컴버블의 투기대란은 전 세계로 확대되었고 미국 내 제조업은 신자유주의 시대가 가속화하면서 급속히 붕괴했다. 이때 양질의 제조업 일자리 대신 질이 떨어지는 서비스직 일자리가 늘어나기 시작했다.

닷컴버블이 꺼진 뒤 미국은 20세기 말 닷컴버블 붕괴 이후 불황에 빠진 경제를 살리기 위해 저금리 정책으로 전환했다. 미 연준의 앨런 그린스펀 의장은 경제를 촉진하기 위해 매우 협조적인 정책을 펼 준비가 되어 있다고 말했는데, 여기에는 미 연준이 미국 국채의 높은 이자를 파먹는 투자자들을 불신한 것도 영향을 주었다.

그린스펀의 이 발언 이후 전 세계 투자은행과 펀드매니저는 새로운 저위험·고소득 투자처를 찾기 시작했다. 그중 하나가 부채담보부증권CDO이라는 신용파생상품이었다. CDO는 여러 사람의 주택담보대출을 모아 만든 증권으로 주택대출은행 저당권을 담보로 대출 후 곧장 담보권을 채권으로 만들어 유동성을 확보하는 구조였다. 수익률을 약 40%로 안정적으로 보장한 CDO는 그 원천인 채무자들의 90%가 성실하게 빚을 갚았던 터라 이상적인 투자 대상으로 각광을 받았다. 그런데 우량 담보대출인 프라임 등급은 그 수가 매우 적어 이를 기반으로 한 CDO는 발행량이 제한적이었다.

2003년 프라임 등급에서 주택담보대출자가 고갈되자 신규고객 유치를 위해 은행은 신용도가 낮은 계층, 그러니까 서브 프라임(비우량 등급) 계층에 대출을 해 주기 시작했다. 은행의 도덕성은 점차 무너지기 시작했고 이들은 신용보증이 없는 대출 상품을 만들어 심지어 수입이 없어도 신청만 하면 대출을 해 주었다. 이때 신자유주의와 세계화로 돈을 벌어들인 중남미와 중동 등 신흥국가 돈이 미국으로 몰려들었고 이들은 앞 다퉈 CDO 상품을 사들이기 시작했다. 당시 미국 주택가격이 계속 오르고 거품이 최고조에 달하면서 2006년까지는 CDO의 기반인 서브 프라임 대출이 그럭저럭 굴러갔다.

그런데 부동산 거품이 꺼지자 이 모든 것은 끝장이 났다. 대출해 준 은행과 대출을 받은 대출자는 '만약 무슨 일이 생기면 집을 팔아 돈을 갚으면 되지' 하고 생각했으나 상황은 그리 녹록지 않았다. 경기가 불황으로 접어들고 일자리가 줄어들자 무리하게 집을 산 사람들은 서둘러 집을 팔기 시작했다. 그때부터 미국 주택가격이 폭락하면서 서브 프라임 계층은 빚을 갚지 못했고 아예 일부러 갚지 않는 일도 비일비재했다.

그렇게 기반이 무너지면서 CDO 수익률이 마이너스로 돌아서자 이 상품에 투자한 수조 달러가 사라지는 한편 CDO를 자산으로 보유한 투자은행과 금융기관은 공황에 빠졌다. 대표적으로 미국의 거대 금융그룹 리먼 브러더스가 2008년 9월 파산했으며, 미국경제 대붕괴와 함께 전 세계에 불황을 불러일으킨 금융위기가 시작되었다.

서브 프라임 모기지 사태의 배경

1980년대 레이건 대통령의 신자유주의 정책 이후 미국에서는 교육과 숙련 기술 불평등이 심화했다. 상대적으로 건실한 제조업 일자리가 세계화와 신자유주의로 미국 밖으로 빠져나가면서 미국 내 불평등이 심화한 것이다. 한데 이 불평등을 해소하기 위해 근본적으로 개혁하는 것이 아니라 빌 클린턴 대통령 때부터 '시민용 주택 확대 정책'이라며 부동산 거품을 키우는 주택대출을 장려했다. 뒤이은 부시 정부 역시 2008년 거품 붕괴 때까지 '한 가구, 한 주택 정책'을 폈다. 이것은 미국의 민주당과 공화당 양당이 아무런 이견 없이 똑같이 밀어붙인 유일한 정책으로 결국 둘 다 공범인 셈이다.

물론 미국 금융위기 사태는 회전문 인사가 보여 준 백악관과 뉴욕 월가 대형 금융기관과의 유착 부분을 빼놓고는 설명할 수 없다. 또한 빌 클린턴이 1999년 월가와의 유착으로 글래스−스티걸 법을 폐지한 것도 사태를 눈덩이처럼 키운 주요 원인이다. 이후 초대형 상업은행과 투자은행 합병으로 상업은행 업무에 투자은행 업무를 더한 여러 금융지주회사가 등장하기 시작했다. 예를 들면 JP모건이 체이스맨해튼 은행을 인수하면서 JP모건체이스라는 금융지주회사가 탄생했다. 미국의 금융위기는 이런 식으로 시작되었고, 금융위기는 포퓰리즘 시대를 열어젖혔다.

흥미로운 사실은 사고를 친 당사자인 미국 금융자본가, 행정부, 의회가 결탁해 리먼 브러더스를 제외한 나머지 금융기관과 보험사에 엄청난 구제금융을 제공했다는 점이다. 반면 미국 중산층과 서민에게는 집과 일자리를 빼앗았다. 더구나 미국 정부가 발행한 구제금융 총 7000억 달러는 면밀히 계산해서 나온 액수가 아니라 '가급적 최대한'을 설정해 잡은 것이다. 미국 국민 1인당 2295달러를 부담하게 해서 월가 금융가들을 구제한 셈이다. 당시 방만한 금융회사 임원들은 수백만에서 수천만 달러를 챙겨가며 취직하는 모럴 해저드가 극심했다.

포퓰리즘 시대를 열어젖힌 미국

그때 미국에서 나온 말이 'Too big to fail', 즉 대마불사다. 미국의 대형 투자은행과 금융회사는 리먼 브러더스 하나만 빼고 모두 살아 남았다. 미국 정부가 국민의 세금으로 이익 극대화를 위해 방만하게 운영해 온 금융자본은 살려주고 중산층과 서민 수백만 명은 일자리와 집을 잃고 헤매게 만든 것이 바로 2008년 미국 금융위기의 실체다.

많은 미국인이 금융위기 처리 과정을 겪으며 미국을 움직이는 실체는 유권자가 아니라 초상류층과 정·재계 기득권 네트워크라는 사실을 자각했다. 그 자각이 미국에 포퓰리즘 시대를 열어젖힌 것이다.

미국 금융위기는 유럽으로 퍼져나가 스페인, 그리스, 아일랜드, 포르투갈, 이탈리아에 금융·재정 위기를 불러일으켰다. 이후 유럽에서도 수많은 서민과 중산층이 집과 직장을 잃은 뒤 포퓰리즘 쪽으로 기울었다. 결국 포퓰리즘은 2008년 미국 금융위기를 그 기원으로 봐야 한다.

20 대 80 양극화
계급사회 심화

기득권 결탁 성향의 중산층

흔히 금융위기 이후 전 세계에 1 대 99 사회가 도래했다고 말한다. 즉, 대부분의 나라에서 국민소득 증가보다 자산 증가 속도가 훨씬 빠르며 상위 1%가 전체 국민소득과 부를 독식한다고 판단한다. 그렇지만 실제로는 상위 99~80%에 속하는 의사나 변호사 같은 전문직 종사자, 대기업 임원, 언론사 간부 등의 소득도 최근 급속히 늘어나고 있다. 이른바 20 대 80 사회, 세습 중산층 사회 개념이 등장한 셈이다. 이들은 늘어난 소득과 세습한 부를 바탕으로 강남3구와 8학군의 이점을 누리거나 마용성(마포구, 용산구, 성동구)에 주택을 소유하고 있다. 나아가 부동산과 금융상품 투기에 나서며 안정적인 세습 중산층을 형성하고 있다.

현실을 보자면 한국은 1 대 99나 10 대 90이 아니라 20 대 80 사회다. 한국이 부동산·대기업·금융정책, 재벌 독과점의 가격담합, 대학입시와 음서제도 문제를 쉽사리 개선하거나 해소하지 못하는 이유는 좌우 정권 교체와 상관없이 우리 사회 중산층에게 기득권 결탁 성향이 있기 때문이다.

자식에게 세습되는 중산층 신분

좌파 상층부는 입으로는 촛불 정신, 공정, 기회 균등, 정의를 외치지만 행동은 그렇지 않다. 문재인 정권에서 온갖 부패·의혹이 난무하고 인국공 사태, 부동산 투기와 폭등, 사모펀드 사기, 신라젠 사건, 대입 스펙 조작이 발생한 것은 한국 사회 좌우 수구기득권이 종이 한 장 차이도 안 될 만큼 서로 유사하고 너무 허접하다는 것을 여실히 보여 준다.

문제는 중산층 신분이 본인으로 그치는 게 아니라 그 자식에게까지 세습된다는 점이다. 한국 사회에서 부모의 학력, 주거, 재산, 소득, 문화 성향은 그대로 자식에게 세습되는데 이는 SKY 대학 입학생의 가정환경 조사에서도 적나라하게 드러난다.

최근 한국 사회는 대학입시, 의전원과 로스쿨 입학, 병역, 취업 과정에서 부모의 계급 배경이 자식의 성취에 그대로 영향을 주는 '음서제도 천국'이 되어가고 있다. 심지어 별것 아닌 졸부의 자식도 '황제 복무'로 화제가 되는 게 현실이다. 특히 강남 8학군과 화려한 스펙으로 상징되는 계층에 기반을 둔 주거, 정보력, 재력은 자식의 신분 세습에 그대로 반영된다. 그나마 1970~1980년대까지 존재했던 '미꾸라지가 용이 되는 세상'은 이제 한 정치인의 표현대로 "모두가 용이 될 수 없고 그럴 필요도 없다. 개천에서 붕어, 가재, 개구리로 살아도 자기 나름대로 만족하고 끼리끼리 어울려 살면 된다"는 말로 바뀌고 있다.

중산층이라 착각하는 '서민'

아이러니하게도 20이 아닌 80에 속하는 서민의 상당수가 스스로를 중산층이라 착각한다. 그러면서 기득권 상류층과 결탁한 중산층이 자신들에게 전파한 좌우 기득권 논리를 그대로 답습해 행동과 의식으로 모방하는 '밈' 현상이 일어나고 있다.

한국 국민의 평균 순자산은 3억 5000만 원이다(2019년 기준 통계청 자료, 한국은행). 서울 중위 아파트 시세가 7억 원인데 전국 가구당 평균 자산이 이 정도라는 것은 국민의 80%는 삶이 팍팍하다는 것을 의미한다. 그렇지만 하위 80% 중 절반인 40%가 자신이 중산층이라고 착각하며 상위 20%가 던진 '가짜 이념' 놀이에 흠뻑 빠져 놀아나고 있다.

문재인의 부동산 폭등이
부른 초양극화

관습화한 신분 파악의 잣대

한국 사회의 본질은 상위 20%가 자신의 이해관계에 따라 만든 법률, 정책, 규정, 제도, 관습을 그대로 정부나 민간 기업 내부 흐름과 사회정책에 관철하는 데 있다. 그 극단적 예로 노무현 정권은 좌파 내부에서 삼성공화국이라 불렸고, 이명박·박근혜 정권도 삼성과 유착하거나 삼성 때문에 무너졌으며, 지금은 문재인 정권의 '삼성공화국 2'가 진행 중에 있다.

문재인 정권이 스물세 번이나 부동산 폭등 억제정책을 내놓았는데도 주택가격 상승이 멈추지 않은 것은 이들에게 진정 부동산 폭등을 막으려는 의지가 있는지 의심스럽게 한다. 오히려 문재인 정권이 부동산 투기를 조장하는 것이 아닌가 싶을 정도다. 결국 문재인 정권은 골프장을 풀어 공급을 확대하고 용적률 등의 규제를 완화해 부동산 투기족들의 요구에 항복했다.

2주택자인 노영민 청와대 비서실장이 국민 여론이 악화하자 처음에 반포 아파트를 처분하겠다고 발표했다가 50분 뒤 청주 아파트로 정정한 사실은 부동산을 대하는 문재인 정권의 태도를 여실히 보여 준다. 2019년 김의겸 청와대 비서실장이 투자한 재개발 주택이 최근 강남3구에 이어 아파트값이 가장 크게 폭등한 지역에 있다는 것은 이념과 다른 이들의 저열한 속성을 드러내 준다.

대부분의 시민은 투기할 돈도 정보도 없이 내 집 하나 마련하느라 평생의 삶을 닳아 없앤다. 그런데도 한국 사회에서 부동산을 기반으로 한 계층 공고화와 계층 세습에 따른 분노가 조직화하지 못하는 이유는 무엇일까? 어떤 양심적인 지식인도 이 문제를 언급하지 않는다.

'어디에 사십니까?'

누군가를 처음 만났을 때 우리는 흔히 이런저런 이야기를 나누다가 이렇게 묻는다.

어디에 사십니까?

이 간단한 질문에 상대가 어떤 대답을 하느냐에 따라 상대의 경제, 사회·문화, 신분, 계층 지위가 고스란히 드러난다. 송곳같이 콕

찌르는 이 질문은 우리 사회의 '관습화한 신분 파악' 행태다. '내가 어디에 사느냐' 하는 한 가지로 상대는 나를 대부분 파악한다. 동창·친구·회사 모임에서도 내가 어디에 살고 어느 부동산에 투기를 하며 자식을 어디에서 학교에 보내느냐에 따라 신분제 서열이 정해진다. 이처럼 한국 사회에서는 어디서 사느냐가 내 위신을 걸 만큼 중요한 일이라 사람들이 강남3구와 마용성에 끊임없이 집착하는 것이다.

코로나19로
죽거나 굶어 죽거나

'잊혀도 좋은' 하층민

코로나19는 전 세계를 쓸어버릴 듯 위용을 떨치지만 그 공포감
은 계층에 따라 확실히 다르게 다가온다. 미국, 영국, 이탈리아, 프
랑스, 인도, 러시아, 멕시코, 브라질에서 코로나19로 사망한 사람은
대부분 사회의 하층 계급이거나 빈곤 노인층이다. 초상류층은 오히
려 코로나19 사태를 이용한 투자로 떼돈을 벌거나 태평양·카리브
해·지중해 섬과 요트, 휴양지, 리조트, 숲속 고성에서 쾌적한 휴가
를 즐기고 있다.

세계 최대 도시 뉴욕에서 그토록 많은 사람이 사망해도 국가 책
임이나 의료 시스템을 두고 미국 내에 별다른 문제가 불거지지 않
는 이유는 사망자 중 다수가 '잊혀도 좋은' 하층민이기 때문이다. 코
로나19 초반 중국 우한에서 벌어진 시신 사태는 비난하고 서구 최
대 도시 한복판에서 발생한 '시신 더미 트럭 보관' 사태에는 침묵하

는 것에서 우리는 계급 문제를 바라보는 '서구 사회의 이중성'을 엿볼 수 있다.

코로나19는 한국에서도 계급 문제를 다른 방식으로 제기하고 있다. 문제는 사망 사태가 아니라 생계 곤란에서 출발한다. 현재까지 한국의 코로나19 사망률은 다른 나라에 비해 그리 높지 않다. 더 큰 문제는 질병으로 인한 사망이 아니라 다수 국민이 굶어 죽을 상황으로 내몰리는 경제 대붕괴다. 실제로 최근 생계를 꾸려가는 것이 어려운 사람이 급속히 증가하고 있다.

코로나19 사태가 앞으로 6개월 이상 지속될 경우 자영업, 중소기업, 소상공인 중 더 버틸 수 있는 사람이 얼마나 될 것인가. 문재인 정권은 3차 추경으로 재정을 확대해 청년과 노인에게 임시 일자리 제공, 특고 노동자 고용보험 확대, 무급휴직자에게 고용장려금 지급, 실업급여 확대, 예술인에게 급여 제공 등 다양한 용도로 돈을 뿌리고 있다. 그러나 코로나19 위기 초반부터 돈을 뿌려댄 것은 큰 우려를 불러일으키고 있다. 누구도 코로나19 위기가 얼마나 오래갈지 예측하지 못한다. 단지 최소 3년 이상 갈 것으로 추정할 뿐이다.

2020년 1월부터 5월 사이 세금이 21조 3000억 원 덜 걷힌 상태에서 정부 지출은 재난지원금 14조 3000억 원 등 24조 5000억 원이 늘어났다. 여기에다 사회보험 적자를 포함해 2020년 5월 말 현재 정부 재정적자가 77조 9000억 원에 이른다. 이 상태로 막대한 국가채무를 늘려가며 현재 수준을 유지하기 위한 국가의 선심성 포퓰리즘은 언제까지 버틸 수 있을까. 참으로 우려스럽다.

2020년 말 즈음이면 더는 버티지 못하는 자영업자, 소상공인, 중소기업의 폐업과 부도가 본격화하고 거리는 실업자로 넘쳐나며 금융위기도 시작될 것이다.

한 번도 겪어보지 못한 보건위기 앞에서

코로나19에 따른 전 세계 대공황 위기는 국민 대다수와 경제 전 분야가 관련되어 있다. 최소 3년 이상 데미지를 줄 것이기 때문에 그 충격이 IMF 때보다 4~5배는 더 클 전망이다. 이것은 1931년 세계 대공황, 2008년 금융위기와 재정위기를 넘어서는 사상 초유의 경제 대공황이다. 인류가 한 번도 겪어보지 못한 보건위기 앞에서 미국은 코로나19 초반 두어 달 진행한 셧다운에 경제가 순식간에 주저앉았다.

대공황 이후 실업자가 최대로 쏟아져 나온 점에 비춰볼 때 경제위기는 코로나19 진행 양상과 함께 장기간 이어질 가능성이 크다. 2020년 6월 말 현재 세계 유동성은 10경 3200조 원에 달한다. 2020년 한 해에 G4(미국, 유로존, 중국, 일본)의 중앙은행이 풀어놓은 돈만 해도 7200조 원에 이른다. 한국 역시 코로나와 경기불황으로 풀어놓은 돈이 12년 동안 2배 이상 늘어 2020년 4월 말 현재 M2라 부르는 총통화량이 약 3018조 원으로 사상 처음 3000조 원을 돌파했다.

그런데 한국을 비롯한 세계 주요 경제주체가 뿌린 돈은 제조업 등 경제 회생을 위해 쓰이기보다 대부분 부동산과 증시로 흘러가 곳곳에서 투기 거품을 낳았다. 대공황 수준의 위기 앞에서 경제 회생을 위해 묶어둔 저금리와 금융완화는 사상 최악의 카지노 식 부동산 투기판을 만들어 냈고, 기업 실적과 무관하게 증시 과열이라는 디커플링 현상도 발생했다.

그야말로 시중에 풀린 돈을 회수하면 경기가 추락하고 그대로 두자니 곳곳에서 도박성 투기 거품이 과열되는 형국이다. 정작 일자리를 창출하는 제조업, 서비스업, 첨단산업과 먹거리산업에는 투자는 커녕 고용창출조차 일어나지 않는 악순환이 반복되고 있다. 즉, 실물경제와 거리가 먼 투기 거품 사이에서 성장률을 높여 경제를 정상화하는 일은 요원하기만 하다.

코로나19로 더 깊어진
세계 계층 갈등

치닫는 양극화

경제 분야에 떠도는 고전적인 거짓 중 하나는 "파이를 키우면 모두가 좀 더 큰 몫을 나눠 먹을 수 있다"는 말이다. 경제가 꾸준히 성장하는 시기에는 이 명제를 실현할 수 있다. 비록 불평등, 불공평, 양극화도 심화하겠지만 더 커진 경제 파이에서 저소득층이나 서민층의 몫도 이전과 비교도 안 될 만큼 커질 수 있다.

한국경제가 고도성장을 하던 1970~1990년대에 진보 좌파는 한국경제의 남미 식 대미 종속, 불평등 심화에 따라 신식민지와 주변부 경제론을 내세우며 사회혁명을 기대했다. 하지만 한국 군부정권에서 급성장한 한국경제의 위상은 좌파 엘리트나 학생운동권의 기대와 희망을 보기 좋게 무너뜨렸다.

문제는 1990년대 중반 이후부터 등장했다. 1990년대 초반 구소련 등 동구권 공산주의가 몰락하고 자본주의와 민주주의의 "궁극적 최종 승리"를 선언한 프랜시스 후쿠야마 교수가 '역사의 종언'을 호언장담했음에도 불구하고 그 직후 세계는 이전 세대보다 경제적으로 더 발전하지 못하고 오히려 가난해졌다. 고도의 IT화, 자동화, 인터넷화 그리고 4차 산업혁명의 영향 아래 있었는데도 말이다.

사실 닷컴버블, 금융위기, 재정위기, 코로나 위기는 20세기 말 이후 점점 가시화했다. 금융위기 때부터 본격화한 세계 장기 불황은 엄청난 규모의 양적완화로 회생 기미를 보였으나 본질적으로는 부가 극소수에게 편중되고 제조업 성장 둔화, 서비스업 생산성 감소, 성장률 하락, 임금·투자·소비·고용·무역 축소, 양극화 극대화 등으로 세계경제는 갈수록 장기 불황에 빠져들었다.

언론이 말하는 미국의 일자리 증가와 경기회복 조짐은 모두 질 낮은 서비스업에서 발생한, 즉 본격적인 경제 회생과 무관한 숫자 장난에 불과했다. 미국에서 연봉 6만 달러 미만의 저소득층·서민층과 그 위의 중산층·고소득층의 소득 격차는 갈수록 확대되었다. 연봉 3만~4만 달러나 그 미만의 질 낮은 서비스업 일자리 양산이 마치 미국경제가 회복되는 듯한 '경제 착시 현상'을 불러일으킨 것이다. 20 대 80의 극단적 양극화는 미국뿐 아니라 영국을 비롯한 유럽 전역과 일본에서도 가시화했다. 결국 자본주의는 빈곤층, 그리고 죽도록 일을 해도 여전히 가난에서 벗어나지 못하는 노동 계층을 양산했다.

영화와 현실

칸 영화제에서 영화 〈기생충〉과 마지막까지 황금종려상을 겨룬 영국 감독 켄 로치의 〈미안해요, 리키〉는 넉넉하지는 않아도 그 나름대로 행복하게 살던 한 영국 소시민 가정의 삶이 업무 외주화와 특고 식 택배 노동으로 얼마나 더 가혹해졌는지를 고발한다. 밥을 먹고 용변을 처리할 시간조차 없이 죽도록 일하는 택배기사 리키 터너, 파트타임으로 노인 간병인으로 일하는 그의 아내 애비 터너의 삶은 서구 사회 워킹푸어 계층의 삶이 얼마나 고단하고 팍팍한지 고스란히 보여 준다. 그들은 예기치 않은 사소한 불행 하나가 삶을 산산조각 내는 그야말로 바람 앞의 촛불 같이 위태로운 이 시대 소시민의 불안을 잘 대변한다.

2016년 칸 영화제 황금종려상 수상작인 켄 로치 감독의 또 다른 영화 〈나, 다니엘 블레이크〉는 평생 목수 일을 하며 성실하게 살아온 가장 다니엘이 주인공이다. 그는 지병인 심장병 악화로 더는 일할 수 없자 실업급여를 신청하기 위해 관공서를 찾아갔다가 녹록지 않은 상황과 마주한다. 실업급여를 받는 절차가 너무 복잡하고 관료적이라 여기에 분노하다 끝내 죽는다는 내용이 대강의 줄거리다.

이 영화는 '요람에서 무덤까지' 사회복지가 갖춰진 사회, 아프리카와 중동의 불법 이민자가 마지막으로 가고 싶어 하는 선진 복지국가 영국의 현실이 얼마나 이율배반적인지 리얼하게 그려냈다. 유럽연합EU 탈퇴를 반대한 영국 중산층과 상류층은 '브렉시트 찬성'을 경험하게 될 때까지 고학력·고소득 상류층의 삶이 노동자나 빈곤층이 직면한 현실과 얼마나 동떨어져 있는지 미처 깨닫지 못했다.

'기회의 나라' 미국의 현실

'막말의 대명사' 트럼프가 러스트 벨트의 백인노동자 계급과 중서부 농촌 농민에게 열렬한 지지를 받아 뉴욕 여피족, IT 재벌, 할리우드 스타, 월가의 우상인 엘리트 힐러리 클린턴을 이겼는지 미국 리버럴 지식인 계층과 먹물들은 아직까지 깨닫지 못하고 있다. 어쩌면 영영 깨닫지 못할지도 모른다. 이런 상황에서 2020년 새해부터 전 세계에 코로나19가 밀어닥쳤고 이를 극복하기 위해 중국, 미국, 유럽 등 세계 각국은 셧다운과 록다운Rock down(이동제한령)으로 경제봉쇄에 들어갔다.

코로나19가 널리 퍼지면서 중국, 인도, 멕시코, 남미 국가를 비롯해 미국 전역에서 서민들의 고난이 시작되었다. 대개 버스기사, 마트 캐셔 등 필수 서비스직에 종사하는 이들은 위험을 감수하거나 소득 단절의 고통 속에서 경제적 빈곤을 자기 목숨과 맞바꿔야 하는 참혹한 현실을 실감했다. 특히 인도에서 벌어진 코로나발 경제봉쇄 속에서 고향까지 수백 킬로미터를 걸어가다가 길에서 죽어간 사람의 모습은 '빈곤층에게 국가의 존재 의미는 무엇인가?'라는 의문을 제기하게 만들었다.

또 세계 최강국 미국에서 뉴욕 맨해튼 인근의 외딴 섬에 무연고 빈곤층 수백 명의 주검을 집단 가매장하는 모습, 슬럼가 길가에 세워둔 냉동트럭에 수십 구의 시신을 방치한 모습은 그야말로 충격이었다. 2020년 2월 중국 우한에서 수많은 주검을 길거리에 방치하고 병원 통로에 시신을 쌓아두던 모습을 세계 최대 도시 뉴욕에서 재현하고 있었으니 말이다. 세계에서 가장 다양한 인종이 모여 공존하며 '인종의 용광로'라는 관용과 융합을 보여 주던 국제 금융도시 뉴욕이 빈곤층과 서민층에게는 주거의 열악함과 비위생적 환경으로 미국의 우한 같은 모습을 드러냈던 것이다.

뉴욕을 비롯해 미국 북동부를 강타한 코로나19의 1차 팬데믹이 소강상태에 접어든 2020년 5월 중순 이후 미국은 록다운을 해제했다. 그러나 7월 중순 선벨트Sun belt(태양이 비치는 지대라는 의미로 미국 대륙 남쪽) 지역인 남서부와 남동부를 중심으로 다시 확산돼 하루 감염자가 7만 명을 넘어섰다. 플로리다, 텍사스, 캘리포니아, 애리조나 4개 주에서 하루 사망자가 연일 최고치를 경신했고, 특히 텍사스주에서는 뉴욕에서 보았던 시신 안치 냉동트럭이 다시 등장했다. 플로리다에서는 병상이 포화 상태에 이르러 막을 수 있던 죽음을 막지 못하는 일도 발생했다. 나아가 조지아주, 애틀랜타, 미시간주, 오하이오주에서도 비상 상황이 이어지면서 미국 전역이 대혼란에 빠져들었다.

이런 현실 앞에서 이전에 불편함과 고통의 대상이던 '빈곤, 가난' 문제는 이제 목숨과 관련된 문제로 다가오고 있다. 2020년 4월 초 미시간주의 하그로브라는 버스운전사가 연신 땀을 흘리며 일하는 영상을 SNS에 올렸다. 영상에서 그는 이렇게 말했다.

> 우리는 공공서비스 노동자로서 맡은 일을 하기 위해 나와 있습니다. 우
> 리 가족을 보살피기 위해 정직한 삶을 살려고 노력하고 있습니다.

그는 이 영상을 올리고 나서 나흘 뒤 코로나19 확진 판정을 받고 숨졌다. 미국 미시간주의 경우 흑인 비율이 14%지만 코로나19 사망률은 흑인이 무려 41%에 이른다. 시카고도 흑인 비율은 30%에 불과한데 사망자의 72%는 흑인이다. 소득이 낮고 의료 접근성이 상대적으로 떨어지는 흑인에게 피해가 집중되자 뉴욕주는 흑인을 비롯한 취약 계층에게 먼저 확진 검사를 시행하기로 했다. 뉴욕 주지사 앤드루 쿠오모는 다음과 같이 말했다.

> 허리케인 카트리나 같은 자연재해에도 지붕 위에 올라가 구조를 요청하
> 는 사람은 백인 부자들이 아닙니다. 왜 가난한 사람들이 항상 비싼 대가
> 를 치러야 합니까?

미국에서도 흑인 비율이 높은 곳, 빈곤층이 많이 모여 사는 대도시가 코로나19의 핫스폿(집중 발병 지역)이 되고 있다. 흑인의 평균 순자산은 백인의 10% 수준으로 알려져 있다. 그러다 보니 흑인, 히스패닉, 아시안과 빈곤층 다수는 주거환경이 열악하고 주변이 비위생적인 곳에서 생활한다. 2020년 9월 중순 현재 미국의 주택담보대출

자들 중에서 수백만 명이 실직했고, 소득이 줄면서 하우스푸어로 전락했다. 10%가 넘는 주택담보대출자들은 상환금을 제대로 갚지 못해 머지않아 집에서 쫓겨날 것으로 예측되고 있다.

미국에서는 가난한 계층일수록 고도비만 비율이 높고 부유층과 중산층은 대체로 몸매가 날씬하다. 이에 따라 빈곤층은 고혈압, 당뇨, 고지혈증에서 기인한 만성질병 비율이 높다. 미국의 열악한 의료보험 체계에서 빈곤층은 저소득층을 대상으로 한 메디케이드 의료혜택을 받지만 실은 메디케이드의 사각지대인 차상위 계층 숫자가 너무 많다.

미국의 빈곤 계층은 3억 3000만 미국인의 15%인 5000만 명으로 집계되고 있다. 미국에서 코로나19로 입원한 환자 중 흑인과 히스패닉은 대부분 저소득층이다. 이들 중 다수는 무보험자로 코로나19에 걸려도 치료받을 엄두를 내지 못한다. 렘데시비르가 나오기 전 기준으로 닷새만 치료를 받아도 그 비용이 300만 원에 이르고 입원비는 따로 지불해야 한다. 이것도 보험을 적용받을 때의 비용이고 보험이 없으면 이보다 훨씬 더 비싸다. 그래서 미국에는 병원 치료를 받으려다 굶어 죽기 십상인 인구가 무려 1000만 명에 이른다.

부의 규모에 좌우되는 미국인의 목숨

세계 최강을 자랑하는 민주주의 국가 미국에서 돈이 없어 열악한 주거환경에서 살아가며 코로나19 위험을 감수하고 돈을 벌러 다니다가 감염된 뒤 치료받지 못하고 죽는 일이 많이 벌어지는 것이다. 지금껏 미국은 자국을 다양한 인종이 계층에 상관없이 자유롭게 살아가는 '기회의 나라'로 선전해 왔지만 코로나19 대확산 국면에서 미국은 자신들이 경멸하던 중국 우한과 비슷한 사태를 겪고 있다. 단지 중국은 확진자와 사망자 통계를 조작하지만 미국은 통계를 속이지 않는다는 차이만 있을 뿐이다.

아무튼 코로나19 팬데믹은 미국인의 목숨이 부의 규모에 좌우된다는 불편한 진실을 전 미국인에게 확실히 각인했다. '돈이 사람 목숨을 좌우한다'는 이 단순한 사실은 미국인이 외면하고 싶어 하는 21세기 미국 사회의 한 단면이다. 이런 현실 앞에서 연방정부와 주정부는 물론 의사, 자선단체, 시민단체는 모두 침묵을 지키고 있다.

2020년 5월 말 미국 사회를 휩쓴 흑인 폭동을 보고 많은 사람이 흑인 폭도들을 비난했다. 그렇다면 기회·교육·신분·경력 상승에서 소외된 흑인들은 과연 코로나19 사태를 겪으면서 미국이 민주주의 국가이고 기회의 나라라고 느꼈을까? 그 시위에 백인 청년 계층이 많이 참여한 이유는 그들의 처지도 계층 측면에서 흑인과 크게 다르지 않기 때문이다.

고장 난 민주주의와
자기 잇속을 챙기는 정치인들

혼수상태에 빠져든 세계경제

코로나19 발생은 포퓰리즘 확산에 기름을 부은 격이었다. 1990년대 초 구소련과 동구권 몰락 이후 2019년 말까지 신자유주의와 세계화를 양대 축으로 번성해 온 서구 정치·경제체제는 사실상 혼수상태에 빠져들고 있었다. 그러한 현실은 정확하게 일곱 가지로 구분해서 살펴볼 수 있다.

첫째, 신자유주의와 세계화는 사실상 각국의 제조업과 일자리를 상당수 황폐하게 만들었다.

둘째, 전 세계에 보편적 경영방식으로 자리 잡은 미국식 주주자본주의, 즉 주주에게 최대한 배당 수익을 안겨 주는 실적주의 경영은 대량 실업과 해고, 자동화·이익극대화 추구, 임금 상하 간 극단적 양극화로 20 대 80 사회를 가속화했다.

셋째, 신자유주의와 세계화는 전 세계에서 금융자본의 투기 행태를 불러와 고용에 기반을 둔 제조업보다 주가나 시가총액을 더 중요시하는 '카지노 자본주의'를 초래했다. 현대 자본주의는 산업자본 중심에서 금융 중심으로 옮겨가 금융자본이 실물경제를 뛰어넘고 있다. 여기에다 각종 금융업 규제 완화와 신자유주의, 세계화에 따른 자본 자유화로 국제자본이 국경을 초월해 움직이면서 투기적 이익을 추구하고 있다. 특히 1990년대 이후 인터넷 시스템이 전 세계에 보급되면서 금융시장 규모와 흐름, 무대를 엄청난 속도로 배가했다.

금융자본 역할이 전통 제조산업보다 더 강한 오늘날에는 런던의 더 시티와 미국의 월스트리트를 양대 축으로 하는 세계 다국적 금융자본이 세계 금융자본을 독점해 금융시장과 각국 금융정책을 교란함으로써 의도적으로 위기를 조장한다. 나아가 경쟁적·탐욕적 투기 행태가 보편화해 2008년 금융위기 같은 재앙을 초래하기도 한다. 금융자본이 설쳐대는 '카지노 자본주의'는 제조업 등 많은 고용을 담보하는 전산업을 무너뜨린다. 또한 이들은 금융대출, 헤지펀드, 사모펀드, 부채담보부증권, 신용부도스와프CDS, 금융구조화한 각종 증권, 부동산 투기, 환율 투기 등을 중심으로 단기 투기수익을 노리며 금융위기에 기반을 둔 경제위기를 일상화한다.

이들 금융자본이 제조업을 능가하는 주도산업으로 자리 잡으면서 기업이나 개인은 부가가치 생산과 저축에 관심을 기울이기보다 일확천금을 노리고 금융시장으로 몰려들고 있다. 최근 한국 사회를 뒤덮은 극단적 부동산 투기 붐은 카지노 자본주의에서는 '투기'가 가장 수지맞는 장사라는 것을 한국 사회 상류층 투기꾼들이 잘 아는 까닭에 발생한 일이다.

넷째, 현재의 세계 자본주의는 도덕, 양심, 모범이 사라진 '정글 자본주의'에 가깝다. 영화 〈월스트리트〉를 보면 기업사냥꾼 고든 게코(마이클 더글러스 분)가 젊은 주식중개인 버드(찰리 신 분)에게 "Greed is good!"이라고 말하는 장면이 나온다. '탐욕은 좋은 것!'이라는 이 말은 미국 월가의 행태가 약육강식의 탐욕스러운 정글로 전락했음을 보여 준다.

돈을 향한 인간의 탐욕을 UN, IMF, WB, OECD, WTO 같은 국제기구와 각국의 법률 규제 혹은 제재만으로 완벽하게 통제하는 것은 불가능하다. 인간을 동물과 구분해 주는 도덕, 양심, 정의, 경험철학, 이해, 배려, 신뢰가 사라진 세상은 인간의 세상이 아니라 짐승의 세상이나 다름없다. 지금 자본주의는 약육강식의 탐욕이 지배하는 동물의 세계와 같은 '정글 자본주의' 세상이다. 특히 극단적 양극화에 분노한 미국의 서민 대중이 포퓰리즘으로 기울면서 탄생한 트럼프는 이 정글 자본주의 세상에서 사자처럼 대표적인 맹수 역할을 하고 있다.

실은 그의 삶 자체가 정글 식 카지노 자본주의 표본이다. 그에게는 자신의 아지트인 맨해튼·애틀랜틱시티·마이애미 등에서 가장 투기적인 부동산 개발회사, 카지노, 리조트, 골프장을 운영해 온 전력이 있다. 할아버지 프리드리히 트럼프는 뉴욕 맨해튼에서 성매매 술집을 운영해 번 돈으로 골드러시 지역을 찾아다니며 모텔 등의 부동산 개발업으로 돈을 벌었고 1918년 스페인독감으로 숨졌다. 아버지 프레드릭 크리스트 트럼프는 부동산 개발과 건설업에서 번 돈으로 제2차 세계대전 후 귀환, 장병용 아파트와 임대주택을 건설해 떼돈을 벌었다. 그는 아들 도널드 트럼프에게 늘 "인생은 경쟁"이라고 가르쳤다.

이처럼 트럼프 일가는 독일 칼슈타트에서 미국으로 이민을 와 3대가 모두 부동산업으로 돈을 벌었다. 따지고 보면 이것은 오늘날 세계적으로 정글 자본주의를 앞장서서 몸소 실천하는 트럼프의 본질을 잘 보여 준다.

다섯째, 오늘날 한국경제와 관련된 법, 규제 정책을 끌고 가는 존재는 슈퍼 캐피털리즘 세력이다. 1980년대 이후 전 세계에서 신자유주의가 탄생한 이후 다국적 초기업 경영자와 경제학자들은 자신의 이윤을 극대화하고자 정치 영역에 침투해 민주주의 통치에 개입하기 시작했다. 노무현 전 대통령 집권기간을 '삼성공화국 1', 문재인 정권을 '삼성공화국 2'로 부르는 이유가 어디에 있겠는가. 민주주의를 악용해 한국의 법과 제도를 통제하는 존재는 국회의원, 청와대, 금융경제관료, 보수와 진보 언론이 아니라 이들 위에 있는 슈퍼 캐피털리즘 세력이다.

동네 아재들이 중앙지검 검찰시민위원회에서 '이재용 기소'를 다룰 필요가 있다고 결정하고, 각계 전문가 10명이 대검수사심의위원회에서 '이재용을 기소하지도 수사하지도 말라'고 결정하는 것이 바로 슈퍼 캐피털리즘이 민주주의 3권 분립 영역에 개입하고 있는 대표적 행태다. 대한민국의 법과 제도 위에서 5년이라는 유한한 정권을 넘어 정관계에 무한히 군림하는 세력, 정권마다 정경유착 시비를 불러일으키는 세력, 지난 정권이 탄핵을 당하도록 만드는 계기를 제공한 세력이 누구인가? 멀리 갈 것도 없이 '슈퍼 캐피털리즘' 세력이다.

기업 세력이 경제 영역을 넘어 정치체계를 훼손하며 법, 제도, 규제 등에 영향을 미치는 행위를 방치하면 양극화와 현대 사회에 누적된 문제를 해결할 수 없다. 세계경제의 장기 불황 속에서 극단적 양극화, 고실업률, 저성장이 보편화하고 있음에도 불구하고 각 나라가 정치 시스템 변화를 두고 정치·사회·경제적 합의를 도출하지 못하는 가장 큰 이유는 슈퍼 캐피털리즘 세력의 개입 때문이다.

여섯째, 민주주의는 인간이 만든 최고의 정치·사회 시스템으로 여겨지지만 최근 많은 나라에서 민주주의가 점점 후퇴하고 있다. 그렇다고 과거처럼 군대가 총칼을 들고 쿠데타로 민주주의를 전복하는 것은 아니다. 대신 프로파간다, SNS 악용, 가짜 뉴스, 언론 장악, 법과 제도 개정 등 민주주의 내부의 합법적인 절차로 민주주의를 파괴한다.

사실상 러시아, 터키, 인도, 폴란드, 헝가리, 필리핀 등 많은 나라에서 민주주의 3권 분립과 균형·견제, 의료 시스템이 무너지고 독재체제가 이어지고 있다. 세계 다수 국가에서 거짓 민주주의가 판을 치면서 민주주의 후퇴가 광범위하게 진행되고 있다는 얘기다. 민주주의는 만능도 아니고 인간이 만들어 낸 최후의 궁극적 시스템도 아니다. 민주주의는 끝없이 흔들리고 비틀거리면서 기회만 있으면 왜곡을 일삼는다.

일곱째, 대의민주주의는 실패하고 있다. 오늘날 민주주의는 국민 모두가 직접 참여해 결정하는 직접민주주의가 아니라 국민의 대리인을 선출, 그들이 국민을 대신해 통치를 담당하게 한다. 노벨경제학상 수상자 제임스 뷰캐넌 교수는 "정치적 의사 결정의 주체를 사익을 추구하는 개인으로 본다"며 '국민을 위해 공공정책을 수립하는 결정권자인 정치가와 관료 역시 기업가나 시장 상인과 마찬가지로 자신의 이익을 위해 노력한다'는 가정에 입각한 이론을 정립했다. 이것은 사회가 합의한 구조화는 결국 각자의 이익을 추구하는 개인을 대신하는 편의상의 픽션, 즉 허구임을 잘 드러내는 솔직한 말이다.

예를 들어 긴급재난지원금 같은 공공 선택도 결국 문재인 정권의 이익과 총선, 집권여당의 이익을 위해 결정한 일이다. 코로나로 신음하는 서민의 삶은 핑곗거리에 불과하며 3차 추경 35조 원도 마찬가지다. 이런 상황에서 "장사가 안 되니 2차 재난지원금을 지급하라"고 요구하는 가게 주인도 그 밥에 그 나물인 셈이다. "나라에 돈이 없는 게 아니라 도둑이 너무 많다"는 누군가의 말처럼 코로나를 극복한다며 한국형 뉴딜, 즉 그린뉴딜과 디지털뉴딜에 6년간 160조 원을 들여 190만 개 일자리를 창출한다는 것도 공공 선택 이론에 따르면 문재인 정권 자신들의 먹거리 쇼에 불과하다.

해결 능력을 상실한 정치가들

호화로운 지자체 청사, 연말이 다가오면 손을 대는 보도블록 공사, 지자체가 벌이는 각종 축제, 시민단체와 이해관계자에게 자동 배당하는 정부 지원금은 모두 국민이 아니라 국민 대리인인 그들을 위한 것이다. 오늘날 대의민주주의는 1인 1표가 아니라 1달러 1표가 되고 국민의 대리인은 국민의 지배자가 되어 서커스 민주주의로 국민을 우민화하고 있다.

오늘날 민주주의와 자본주의 현상을 보면 현실의 경제·사회 실태와 굉장히 괴리되어 있다. 이렇게 낮은 민주주의 수준에서 장기 저성장, 분배 왜곡, 고실업률, 코로나로 인한 폐쇄적 경제상황 등을 해결할 현실적 대안을 찾는 합리적인 타협이 이뤄질 가능성은 거의 없다. 지금은 당면한 시대 문제와 그 해결 능력을 상실한 정치가들 사이에 간극이 너무 커서 대중의 다양한 불만이 곳곳에서 터져 나올 수밖에 없는 시대로 접어들고 있다.

수구기득권과 부패 커넥션으로
뭉친 진보 좌파의 민낯

거짓말로 서민 대중을 현혹하다

민주주의와 자본주의가 한계를 드러낸 상황에서 전 세계 대중, 특히 정치에 민감한 유럽과 미국의 대중은 포퓰리즘에 쏠리고 있다. 자신들의 일자리와 소득을 파괴하고 가정의 생존을 위협하는 것은 신자유주의와 세계화에 따른 제조업 일자리 상실이기 때문이다. 더구나 이들 사이에는 EU, WTO, IMF 같은 국제기구는 월가나 더 시티의 금융자본가와 다국적기업을 찬양하고 맹종하는 조직이지 서민들의 삶을 토로하는 조직이 아니라는 인식이 팽배하다.

전 세계의 인력, 자본, 상품 이동도 결국 각 나라 중·하류층 삶을 파괴할 수밖에 없다. 그런데도 상류층의 이해를 대변하는 많은 경제학자와 전문가는 모두 입만 열면 자신에게 이익을 주는 '세계화의 수혜자'를 찬양하는 거짓말로 서민 대중을 현혹한다. 각국에서 엘리트로 불리는 정치인, 지식인, 대학교수, 전문가, 관료, 언론인 역시 기득권층 편을 드는 데 익숙하다.

한국의 경우 부동산이 폭등해 대중이 난리를 겪어도 정당, 정치인, 관료, 대선후보, 언론, 교수 중 누구 하나 '근본적인 해결'을 언급하지 않는다. 브라질과 스페인에서 약진하는 포퓰리즘 정당은 대개 주택공급 문제와 관련해 파격적인 대안을 제시하고 있지만, 한국의 기성 정당들은 그렇지 않다. 기득권 상류층의 최대 주택공급자인 재벌 건설회사와의 관계를 정리하지 못한 이들은 국가 차원의 주택공급 문제를 입 밖에 꺼내지도 못하고 있다.

미국과 유럽, 남미를 휩쓸고 있는 포퓰리즘이 유독 한국 사회에서 힘을 쓰지 못하는 것은 그만큼 한국 기득권 세력의 힘이 강하다는 것을 의미한다. 386 학생운동권 출신 리더, 민주노총과 시민단체 리더, 민주당·정의당 의원들 그리고 문재인 정권의 청와대는 현 정권의 권력 엘리트 집단을 형성하는 주요 축이다.

좌우 이념의 대립이 아닌 좌우 수구기득권의 커넥션

겉으로 자신들을 진보 좌파로 내세우는 이들은 사실 '친북 성향'만 확실할 뿐 진보 좌파가 아니라 좌파 수구기득권 집단이다. 이들의 재산 형성 내역, 총자산, 자녀 교육 행태와 취향, 벤처기업이나 재벌과의 사교, 사모펀드, 바이오·태양광·풍력발전과의 유착 등을 보면 이들이 내세우는 진보 좌파는 표를 얻는 구조에 불과하다. 실제로는 이들이 그토록 비난해 온 우리 사회 수구기득권층과 커넥션으로 똘똘 뭉쳐 기득권을 강화하고 있다. 한국 사회의 우파 수구기득권, 흔히 수꼴이라 불리는 자들은 이전 '기득권의 원조'이니 더 말할 나위도 없다.

그런 내막을 알지 못하는 국민은 한국이 좌우 이념으로 서로 나뉘어 치열하게 대립한다고 착각하고 있다. 사실상 그들은 좋은 먹거리를 제공하는 정부의 고위직 자리와 국가예산, 사회적·정치적 권력을 놓고 누가 먹을지 다투는 조폭 패거리와 조금도 다름없다. 영호남 지역 대립과 북한을 인식한 좌우 대립도 한국 사회의 좌우 이념 대립을 희한하게 변질시키며 전 세계적 서민들의 포퓰리즘을 희석하는 역할을 하고 있다.

아쉽게도 자신의 계급적 지위를 자각해야 하는 서민 대중은 영호남을 의식하고 친북과 반북에 기반을 둔 좌·우파 논란에 뛰어들어 싸우면서 좌우 수구기득권층이 자신들의 '공통된 적'이라는 인식을 상실하고 있다. 포퓰리즘은 한국 기득권 사회의 모순이 극대화하는 시점에 좀 더 긍정적이고 노골적인 모습으로 터져 나와야 오히려 한국 사회 문제의 본질을 제대로 노출할 수 있다. 그런데 한국은 좌우 기득권이 정치세력을 싹쓸이해 줄을 세우면서 포퓰리즘을 추구할 정치세력이 존재하기 어려운 여건에 놓여 있다.

정치인에게 서민은
'표밭' 이상도 이하도 아니다

조폭집단 같은 패싸움을 벌이는 기성 좌우 정치권과 사회 운동권

현대 한국 사회만큼 포퓰리즘이 절실히 필요한 시대와 장소도 없을 것이다. 한국에서 성역이 되어버린 부동산, 기득권의 세습 통로가 된 불공정한 대학입시, 한국경제의 걸림돌 민노총과 한노총, 만연한 사회지도층 부패, 재벌들의 독과점 담합에 따른 높은 생활비용, 사교육 망국론, 현대판 고려장에 가까운 노인 요양제도, 신규 고용이 사라진 기업들, 안보 불감증이 진보로 비춰지는 착각 등 우리 사회의 고질적 문제를 여야 기성 정치세력이 자발적으로 개선할 가능성은 거의 없어 보인다. 기성 좌우 정치권과 사회 운동권은 510조원이 넘는 대한민국의 국가예산과 수만 개의 중앙행정부, 국회, 지자체, 공기업, 공공기관 자리를 놓고 4~5년마다 총선·지자체선거·대선에서 조폭집단 같은 패싸움을 벌이고 있다.

이들에게 서민 대중은 자기편에 서 달라고 속이고 선동하는 대상일 뿐이며, 선거 시기가 지나면 여지없이 내팽개친다.

오늘날 서민을 가장 힘들게 하는 부동산 문제의 주범은 과연 누구인가? 누가 정보와 인맥을 동원해 똘똘한 알짜 부동산을 차지하고 있는가?

경매로 집을 사들이고 방배동에 일찌감치 투자한 사노맹 투사 조국, 출처 없는 돈으로 계속 아파트를 사고판 시민운동가 윤미향을 보면 정의는 간데없고 투기의 실속만 존재한다. 청주와 반포 아파트 사이에서 인간적(?) 갈등을 한 노영민 비서실장, 도곡동과 잠실동 아파트 사이에서 햄릿 식 갈등을 하다 잘릴 위기에 놓이자 잠실 아파트를 팔겠다고 나선 김조원 민정수석, 청와대 대변인이면서 흑석동의 알짜배기 땅에 올인한 김의겸. 이들을 보면 비서실장, 민정수석, 청와대 대변인 자리의 무게가 똘똘한 아파트 한 채 값도 안 된다는 것을 여실히 느낄 수 있다.

2020년 7월 28일 경실련은 국민의힘 의원의 40%가 다주택자이고 상위 10%의 1인당 부동산 재산이 평균 106억 원이며, 국민의힘 의원은 1인당 평균 부동산 재산이 20억 8000만 원이라고 발표했다. 보수언론 〈조선일보〉, 〈동아일보〉, 〈중앙일보〉가 연일 공급 확대를 외치며 재개발·재건축 규제 완화와 용적률 상향을 외치는 이유는 재벌 건설사의 대규모 민간 아파트 공급만이 광고 폭증으로 그들에게 돈이 되기 때문이다. 사실 한껏 오른 시세에 따라 평당 3000만 원 안팎의 민간 아파트를 공급하는 것은 좌우의 패거리 싸움에서 투기판 돈만 올려줄 뿐 근본적인 주거 문제 해결책이 아니다.

전·월세 폭등으로 신음하는 서민 대중의 입장은 누구도 대변하지 않는다. 반기득권의 대명사로 불리며 20대, 30대에게 인기가 있는 이재명 도지사가 제시한 제3신도시의 '기본주택'은 어떨까? 경기도가 지은 임대아파트 입주가격은 1인 기준 월임대료 55만 원에 보증금 1750만 원이고, 4인 가구는 월임대료 95만 원에 보증금이 9500만 원인데 이 가격이면 김포 변두리에서 현재 시세로 얼마든지 아파트를 구할 수 있다. 심지어 서울 외곽 빌라도 구입이 가능하다.

'국가적 주택공급'에 침묵하는 이유

주거 문제는 한국 서민의 삶에서 연애·결혼·출산 같은 사회적 재생산 기능과 저출산·고령화 사회 대응 그리고 행복지수에 커다란 영향을 미치는 중요한 요소다. 한국에서 권력, 정보, 인맥, 돈을 쥔 날고 기는 사람들이 외면과 달리 이면에서 부동산에 미쳐 날뛰는 일이 우연히 생겼겠는가? 시대적·사회적·경제적 변화 앞에서 한국 사회 정치권이 합의해 국민을 위한 합리적 대안을 내놓으면 사회 붕괴를 막을 수 있다. 부동산 문제만 봐도 그 사회가 붕괴를 막아낼지 아니면 극단적 혼란과 생존 투쟁 혹은 대립을 불러일으킬지 답이 나온다.

안됐지만 한국 정치권이 국민 생활에서 가장 기본 조건인 주거 문제에 스스로 합리적 답변을 내놓는다는 것은 거의 불가능하다. 좌우, 중도, 극우, 극좌 어느 진영도 주거 문제를 해결해 줄 대안인 '국가적 주택공급'에 침묵하고 있다. 또한 좌우 어느 언론도 임대주와 집주인의 시위는 대서특필하면서 수천 명이 모여 몇 차례나 밝힌 앵그리블루 운동의 '국가적 주택공급 문제'는 한 줄도 보도하지 않았다. 죽었다 깨어나도 기성 정치권이 주거 문제를 근본적으로 해결할 가능성은 없다. 그 이유는 한국 좌우 기득권의 본질적 미래가 걸린 '자산 증식 수단을 위협한다'는 것 때문이다.

서민 대중의 생존 투쟁

결국 국민의 기본 행복권인 주거 문제는 순수 대중의 포퓰리즘 운동 방식이 아니면 해결하기 어렵다. 국민의 절반 이상이 겪고 있는 '주거 고난'을 기성 정치권이 해결할 수 없다면 서민 대중 스스로 생존 투쟁에 나서야 한다. 국민의 대리인이 그 주인을 외면할 때 주인이 직접 나서서 고통을 해결하는 것이 포퓰리즘 아닌가. 지금 한국 사회에는 이러한 포퓰리즘이 절실히 필요하다.

맹목적으로 지지해
과연 무엇을 얻었는가

데칼코마니 좌우 정권

한국은 세계에서 가장 오랫동안 좌우 이념이 극명하게 대립해 온 나라다. 여론에서든 거리에서든 좌우는 타협 없이 충돌과 대립을 이어가고 있다. 국민 대다수가 좌우 이념 중 한쪽으로 기울어져 거의 맹목적 지지를 보내고 있다. 그럼에도 불구하고 한국 사회에서 서민의 삶의 조건이 조금도 좋아지지 않고 오히려 갈수록 악화하는 이유는 무엇일까?

첫째, 좌우 기득권은 본질적으로 서로 다르지 않다. 부동산 투기, 정형화한 부패, 권력 사유화와 패거리화, 선언적인 말과 전혀 다른 행동 등 집권 이후 좌우 정권은 데칼코마니(프랑스어로 '옮긴다'는 뜻)처럼 서로 비슷하게 망해가고 그들의 허울 좋은 구호는 대중 선동용으로만 작동할 뿐이다. 좌우 모두 서민을 이용하기만 할 뿐 그들의 삶의 질을 개선하는 것은 좌우 정치인 목표 리스트에 들어 있지 않다.

좌우 정치인은 거대한 이념에 입각해 서로 정치·경제 시스템을 바라보는 이념적 시각차가 크다고 포장하지만 그 다양한 위장술에도 불구하고 결국 본질적 목표는 기득권과의 커넥션을 강화하는 일이다. 왜 노무현 정권에 이어 문재인 정권이 '삼성공화국 2'라는 소리를 듣겠는가.

둘째, 한국의 좌우 정파는 서민의 삶을 개선할 획기적인 정책을 절대로 채택할 수 없다. 그들이 국가적 주택공급, 통신료·스마트폰·독과점 공산품 가격담합 금지, 로스쿨·의전원·공공의료대학 폐지, 수시 폐지·정시 100% 시행, 민노총 해체, 외국인 노동자 채용 금지를 발표할 수 있겠는가.

왜 부동산 정책이 그린벨트 폐지, 용적률 상향, 재개발·재건축 규제 완화, 태릉골프장 부지 제공에 머무르고 있는지 아는가? 이제 최후의 수단으로 행정수도 이전까지 들고 나왔다. 문재인 정권이 좌파 정권을 표방하면서도 '국가적 주택공급'이라는 말을 끝내 사용하지 않는 이유가 무엇인지 아는가? 그것은 이들이 우리 사회의 슈퍼 캐피털리즘, 즉 청와대와 민주당 정치인 위에서 이들을 주무르는 '슈퍼 울트라 파워' 재벌의 손아귀에서 벗어나지 못하고 있기 때문이다. 문재인 정권이 재벌과 깊숙이 연관되어 있다는 것은 그들 스스로 입증하고 있다.

셋째, 한국 사회의 오피니언 리더로 좌우 정치 지지자들에게 영향력을 행사하는 사람은 국회의원, 언론인, 교수, 연구원, 대기업 임직원, 법조계, 각종 전문직 종사자, 강남 거주 상류층, 좌우 논객 그리고 유튜버. 이들 좌우 지식인은 이미 서구 사회에서 사라져버린 노조경영 국가, 보편적 복지국가, 사회적 경제, 경제 민주화, 소득주도성장을 언급하거나 낙수효과·무한성장설·극단적 신자유주의·세계화 등 철 지난 황당한 이론을 각 진영의 맹목적 빠돌이·빠순이에게 주입하고 다시 그들은 SNS와 구전으로 맹목적 지지층에게 퍼뜨리고 있다.

그 이론을 따져 보면 한국 사회 1%의 좌우 정치·경제 기득권층 지배 논리를 견강부회 식으로 해설하는 수준이지만, 그들은 이념과 지역이 대립하는 한국 사회에서 자기 진영 충성떼거리에게 그것이 무조건 통한다는 것을 잘 알고 있다. 사실 이 모든 이론은 좌우 지배층의 공고한 지배를 위해 특화한 맞춤식 논리에 불과하다.

넷째, 국민의 80% 이상을 차지하는 서민은 좌우 기득권에게 표만 필요하지 돈은 되지 않는 집단이다. 따라서 좌우 기득권에게 가장 유용하고 편리한 선택은 선거공약과 당헌, 정치적 비전만 서민 편인 척하고 정책은 돈이 되는 쪽을 택하는 것이다. 민주주의 역사가 250년에 이르는 미국에서도 서민을 위한 제대로 된 정치를 시행한 적은 없으며 번번이 개혁하는 척 폼만 잡다가 끝날 뿐이다.

그래도 미국에는 순수하게 서민을 위한 정치를 끊임없이 주장해 온 정치적 시도와 정치가가 있었지만 한국에는 좌우 양당을 통틀어 그런 정치를 시도한 세력과 정치인은 전무하다. 좌파 진보 정당은 운동권 엘리트들의 출세 기회나 이념적 구호 정당에 불과하고, 극우 정당도 특정 정치인이 법망을 피해가는 구멍 정당에 불과하다.

서민을 위한 순수 포퓰리즘 조직화는 좌우 기득권이 짓밟고 무시하는 것은 물론 심지어 서민들조차 관심이 없어서 감히 정치세력화 '시도'조차 해보지 못했다.

2020년 말 이후
경제 붕괴에 대비하라

자산계급화 시대

IMF 사태로 한국 사회는 많은 분야에서 큰 변화를 겪었다. 우선 1930년대와 1950년대 생이 퇴진하고 386세대인 1960년대 생이 중추적 역할을 꿰차면서 세대교체가 있었다. 386세대는 관료, 정치인, 대기업 임원, 언론사 간부, 노조 간부, 전문직 종사자, 문화계 리더 등 사회의 다양한 분야에서 핵심 세력을 이루며 지배 위치에 올라섰다. 이들은 2000년대 이후 대폭 인상된 대기업 임금을 바탕으로 강남에서 부동산으로 자산을 축적했다. 또한 사교육으로 자식에게 부를 세습하려 노력하는 중산층의 주축으로 자리 잡았다.

그와 함께 IMF 사태를 기점으로 고용에서 노동 유연화, 비정규직화, 파견근로가 대세를 이루고 '연공서열형 퇴직 보장'이라는 평생직장 개념이 사라졌다. IMF 이후 집권한 노무현 정권은 두 차례 부동산 폭등을 불러왔고 재벌들의 요구에 따라 토건국가로 전환했다. 이는 한국 국민을 집이 있는 사람과 없는 사람, 강남사람과 비강남사람으로 구별하게 만들었다. 이때부터 한국 사회에 부동산 소유 여부와 그 위치가 계급을 형성하는 자산계급화 시대가 본격적으로 열렸다. '부르주아지'란 말은 본래 중세 성곽 안에서 사는 사람이란 뜻인데 한국 사회에서 강남이라는 성곽 안에 사는 사람들은 부르주아지 의미 그대로 상층 계급이 되었다.

IMF와 부동산 폭등은 중산층 이상 계층과 그 이하 서민 계급의 자산 격차를 이전보다 훨씬 더 심화하는 계기로 작용했다. 또한 IMF를 기점으로 성장 둔화가 본격화했고 이후 한국 사회는 다시는 1970~1990년대 고성장 시대로 돌아가지 못했다. 본격적인 저성장 시대로 접어든 것이다. 다만 소수 대기업만 WTO와 신자유주의 전성시대를 맞아 정권의 지원 아래 세계적 기업으로 승격하는 데 성공했다. 대기업 사이에서도 격차가 현저히 벌어지기 시작했다는 얘기다.

이처럼 한국은 고용불안, 저성장, 부동산 폭등, 양극화 심화 속에서 2008년 세계 금융위기를 맞이했다. 이 금융위기는 이전의 '성장 시대'가 끝났음을 본격 알리는 계기였으며, 1980년 이후 세계를 지배해 온 신자유주의와 세계화는 종말을 고했다.

또다시 엄습해 오는 부채위기

2008년 이후 세계경제는 양적완화 정책을 채택해 엄청난 돈을 풀었는데 당시 이 돈을 회수할 경우 벌어질 사태는 누구도 예측하지 못했다. 2013년 이후 세계는 테이퍼링, 즉 낮은 금리와 유례없이 풀었던 돈을 줄이는 전략으로 돌아섰다. 언제까지 제로금리 수준으로 돈을 무제한 풀 수는 없었기에 경제가 다소 호전된 시점에 금융정책 여력을 회복하기 위해 금리를 올리고 각국이 달러 회수 작전에 들어간 것이다.

문제는 이렇게 달러를 회수할 때 세계경제가 어떻게 될지 아무도 제대로 알지 못했다는 점이다. 그것은 누구도 가보지 않은 길이었다. 막상 미국과 EU가 양적완화로 시중에 풀린 돈을 회수하기 시작하자 세계경제는 다시 침체되고 비틀거리기 시작했다. 그동안 양적완화의 최면효과에 취해 세계경제가 마치 회복되는 것처럼 비춰졌던 셈이다. 결국 세계경제는 2008년 금융위기 이후 회복된 것이 아니라 사상 초유의 달러 살포로 회복된 양 착시효과만 보였던 것이다.

그런 와중에 코로나19가 세계경제를 습격하면서 세계 주요국 2020년 2분기 성장률이 미국 −9.5%, 독일 −10.1%, EU −12.1%를 기록했고 한국은 −3.3%로 나타났다. 집권여당은 상대적 선방이라고 말하지만 사실 이것은 60조 원이 넘는 1, 2, 3차 추경과 슈퍼예산 조기집행으로 억지로 만든 성적표이다. 2020년 말 GDP가 문재인 정권 바람대로 극적 반등을 보일 가능성은 거의 없다.

합리적 예측에 따르면, 2020년 가을과 겨울 코로나19 팬데믹이 최대 정점을 보일 전망이다. 이 경우 2020년 10월이면 한국에서도 전염자와 사망자가 폭증할 가능성이 크고 '사회적 거리두기'를 엄격하게 강화할 수밖에 없다.

2020년 12월이면 2020년 2월부터 한국에 퍼져 나간 코로나19의 영향으로 경제가 타격을 받기 시작한 지 1년이 되어간다. 이런 상황에서 자영업자, 중소기업, 대기업이 매출 이익 감소를 견디며 얼마나 더 버틸 수 있을까? 상당수 자영업자와 중소기업이 무너질 확률이 높다.

여기에 더해 문재인 정권의 부동산 정책 실정이 갈수록 많은 후유증을 낳고 있다. 결과적으로 코로나19가 장기간 이어지면 111조 원이 넘는 가계·자영업자 부실대출과 20~30대가 2년간 대출 받은 부동산구입비·전세금 150조 원 중 상당 액수가 문제가 될 가능성이 크다.

2020년 4월 말 기준 대한민국 가계부채는 약 1645조 원이다. 전세액수 합계도 가계부채로 봐야 하는데 한국의 전세시장 규모는 756조 원으로 추정하며 이를 포함하면 가계부채 액수는 2400조 원으로 뛰어오른다. 그중 주택담보대출은 추정치 1100조 원으로 주택담보대출을 받은 사람은 약 700만 명에 이른다.

이 위태로운 부동산 관련 부채는 코로나19로 한국경제가 붕괴되는 2020년 말 이후 금융위기의 불안한 징조로 등장할 가능성이 높다. 여기에다 코로나19가 유발한 자영업 위기로 2020년에만 대출과 신용보증이 대폭 늘어나 자영업자 대출이 700조 원에 육박한다. 이 자영업 대출 중 상당수도 부실화할 우려가 있다.

코로나19 속에서 경제위기 상황과 연동하지 않는 부동산 폭등 현상은 곧 부동산 폭락으로 이어질 수밖에 없다. 자영업자의 폐업과 부도도 자영업자 대출의 상당 부분이 부실화할 가능성이 매우 크다는 것을 의미한다. 한국은 기업대출마저 시한폭탄인데 2020년 6월까지 잔액이 947조 원이며 무엇보다 중소기업 부채가 폭발적으로 늘어나고 있다. 이들 중소기업 부채가 약 770조 원에 달한다.

이것은 한국만의 현상이 아니며 전 세계 차원에서 부채위기가 다가오고 있다는 뜻이다. 제2의 세계 대공황이 임박한 것은 아닐까?

탐욕스러운 기성 정치가 초래하는
사악한 포퓰리즘과 독재

투기족의 요구사항 부동산 정책

향후 세계경제가 어떻게 흘러갈지는 누구도 쉽게 예단할 수 없다. 우선 2008년 금융위기 이후 각국 정부가 온갖 대책을 쏟아냈음에도 불구하고 세계경제는 본격적인 침체기에 들어섰다. 코로나19라는 악재까지 겹친 상황이다. 코로나19가 빚어낸 세계적 폐쇄경제는 앞으로 10여 년 이상 전 세계에 충격과 후유증을 안겨 줄 전망이다. 중요한 것은 그 과정에서 극단적 양극화가 더 심화해 서민과 빈민의 삶이 보다 피폐해지고 힘들어질 것이라는 점이다.

경제와 사회 측면에 가해진 충격과 서민의 삶 붕괴는 각국에 커다란 정치 변화를 불러올 가능성이 크다. 이때 정치권은 서민 대중의 생존 요구를 정치적으로 수용하기보다 재난지원금, 실업지원금, 쿠폰, 임시직 제공 등 소모적 포퓰리즘 정책으로 대응할 확률이 높다. 이런 정책은 대체로 '언 발에 오줌을 누듯' 임시변통으로 끝나버리고 만다.

서민 대중이 삶을 유지하도록 정치권이 앞장서서 정치적 합의를 이끌어 낼 가능성은 거의 없다. 아마도 각국 정치권은 참혹한 현실을 수박 겉핥기 식 포퓰리즘으로 때우려 할 것이다. 이때 대중의 요구와 정책 합의 사이의 간극은 매우 커지고 정치권이 대중의 현실을 수용하기까지는 긴 시간 지체Time-lag가 발생한다.

최근 부동산 폭등 사태에 대응해 문재인 정권이 내놓은 스물세 번째 정책은 좌우 부동산 투기족이 반복해 온 '공급 확대', 즉 태릉골 프장 등 정부 보유지 제공, 규제 완화에 따른 용적률 인상, 재개발·재건축 완화로 귀결된다. '지분적립형' 공공분양과 공공참여 고밀도 개발은 모두 보수언론이 주장해 온 것으로 투기족의 흔한 요구사항이다. 공공분양과 공공개발을 해도 어차피 평당 수천만 원에 이르는 아파트는 집 없는 서민에게 그림의 떡이다. 투기꾼의 관점에서 이것은 하우스 수준의 도박꾼이 강원랜드 수준의 물량을 확보하는 것과 유사하다.

어째서 이들은 '국가적 주택공급'을 절대 입에 올리지 않는 걸까? 바로 이것이 서민 대중의 요구와 한국 좌우 기득권 정치인 사이의 인식 차이가 엄청나게 크다는, 살아 있는 증거다. 원래 정치꾼에게 '서민을 위한 정치'란 구호일 뿐이다. 돈이 생기지 않을 뿐더러 한국에서 가장 돈이 많은 사람들이 싫어하는 일을 정치꾼들이 할 이유는 없다.

사악한 포퓰리즘 정책

이제 한국뿐 아니라 미국과 영국을 비롯한 세계 각국에서 기성 정치가 불신을 받으며 광범위한 저항에 부딪히는 사태가 벌어질 것이다. 먼저 신자유주의와 세계화 쇠락으로 각국의 무역과 관광 같은 서비스업이 무너지면서 서민의 삶이 직접 타격을 받는다. 그 충격은 가장 약한 고리인 빈민들과 서민층을 거쳐 중산층에 이르고 이때 각 나라 국민의 80% 이상이 사회·경제적 위기에 놓여 이와 관련된 요구가 거세질 것이다.

대중의 저항에 직면한 각국 정치인들은 사악한 포퓰리즘으로 방향을 왜곡하거나 대중 선동으로 독재를 시도한다. 결국 곳곳이 근본 개혁보다 나쁜 포퓰리즘과 전체주의 사회로 이행하면서 민주주의가 후퇴한다. 특히 코로나19로 무엇이든 마음대로 처리할 권한을 대폭 확대한 각국 정치권은 자신들의 권력 유지를 위한 대중 선동에 본격 돌입한다.

4부

극단적 양극화 시대

도덕성이 떨어지고 탐욕스러운 자가 유능할 경우

자신의 축재에만 뛰어날 뿐 결코 국민을 위해 그 유능함을

발휘하지 않는다.

일자리 소멸과 대중이 쪽박을 차는 극단적 양극화 시대

노동 가치의 추락

앞으로 일자리 소멸 속도는 급속히 빨라질 것이다. 현재 2030 세대의 자녀 시대에는 절반 이상이 실업자로 살아갈지도 모른다. 불과 20여 년 뒤, 그러니까 2040년이면 실제로 그런 시대가 오리라고 본다.

서울대 공대 연구팀이 예측한 2090년 서울의 모습은 섬뜩할 정도다. 부와 권력을 독점한 플랫폼 소유주(IT대기업) 0.001%가 제1계급, 그 밑에 엘리트 계층인 플랫폼 스타(정치인, 예체능 스타) 0.002%가 제2계급으로 결국 0.003%만 지배적 위치에 놓인다. 그리고 그다음 자리를 인공지능AI 로봇 등 인공지성이 차지한다. 나머지 99.997%는 프레카리아트Precariat(불안정한precarious과 프롤레타리아트proletariat를 합성한 조어. 저임금·저숙련 노동에 시달리는 불안정한 노동 무산계급을 뜻한다)라 불리는 최하위 노동자 계급으로 이들은 로봇과 AI보다 못한 취급을 받으며 고정된 임금 없이 프리랜서로 살아간다. 그야말로 0.003 대 99.997

이라는 '초계급 사회'가 도래하고 인공지능 발달로 노동의 가치가 헐값으로 추락하면서 대다수가 커다란 빈곤에 처할 것이라는 예측이다. 급속도로 발달하는 AI, 즉 인공지능이 미래 사회에 대다수 대중보다 더 높은 계급을 차지할 만큼 2050년쯤 폭발적으로 성장한다는 얘기다.

최근 인류는 지난 250년간 이룬 기술 성장을 단 30년 만에 이뤄낼 정도로 초단기에 기술을 축적하고 있다. 그런데 이러한 시대 전환이 인류를 행복하게 해주기는커녕 오히려 대다수가 불행해지는 사회가 될 것이라는 우려가 나오고 있다. 특히 삶이 불안정해지는 노동자 계급은 이런 기술 변화에 저항할 수밖에 없다.

실제로 산업혁명이 일어난 영국에서는 19세기 초 러다이트Luddite라는 사회 운동이 전국으로 퍼져 갔다. 이것은 저임금에 시달린 영국 직물노동자들이 공장에 불을 지르고 기계를 파괴한 '기계 파괴 운동'이다. 당시 산업혁명으로 방적산업이 기계화하면서 대량생산이 이뤄지자 방적 분야 숙련 노동자들이 일자리를 잃고 말았다. 공장은 숙련공 대신 간단히 기계를 조작하는 비숙련공을 선호했고 직물노동자의 임금은 계속 하락했다. 이때 영국 정부는 단결금지법Combination Act을 만들어 노동자의 노동조합 설립을 법으로 금지했다. 결국 임금교섭조차 불가능해진 상황에서 저임금과 빈곤에 시달리던 직물노동자들은 기계를 파괴했고 밤에 가면을 쓴 채 공장을 습격해 불을 질렀다.

노예가 되어 가다

정권·기업인 단체·관료·교수·언론이 지금처럼 규제 완화, 4차 산업혁명 육성, 디지털 혁명, 빅테크 운운하며 무비판적으로 기술 발달을 추앙하면 결국 대다수 대중은 불행한 상황에 처하고 말 것이다.

그럼에도 불구하고 대중은 전자상거래로 물건을 구매하고 배달 앱으로 음식을 주문하며 각종 페이에 연결돼 휴대전화로 결제를 한다. 메신저와 SNS에서 뉴스와 정보를 입수하고 구매, 결제, 여행, 소비를 해결하는 것은 물론 소통과 교제를 하며 여가 시간에는 AR·VR·홀로그램 전자오락 게임에 빠져 지낸다.

스마트폰은 하루 종일 대중의 삶을 지배한다. 바로 이것이 '플랫폼 빅 테크놀로지 IT기업'에 놀아나며 그들의 노예가 되어가는 과정이다. 빅테크라고 불리는 구글·애플·페이스북·아마존 같은 IT대기업은 디지털 플랫폼, 디지털 콘텐츠, 전자상거래, 광고시장을 장악해 어마어마한 수익을 얻는다.

이들 빅테크 기업은 해외 자회사와 조세 회피처를 이용해 순이익을 공개하지 않고 막대한 수익을 올리고 있다. 글로벌 차원에서 플랫폼을 선점한 대가로 얻는 거대한 독점이윤 중 아주 작은 부분만 세금으로 낼 뿐이다. 심지어 이들은 때로는 기부를 하거나 기본소득제에 동참하는 척하며 착한 기업인 양 포장한다.

이를 간파한 세계 각국에서 소위 '디지털세'라고 불리는 구글세를 부과하자는 의견까지 나오고 있다. 실제로 영국은 2020년부터 디지털세 2% 도입 방안을 검토한 바 있다. 만약 앞으로 기본소득제를 실시한다면 그 재원은 디지털세에서 나올 가능성이 크다. 한국에서 일부 정치인이 주장하는 기본소득제를 도입할 경우 미국의 빅테크 기업 지사와 삼성, LG, SK, 네이버, 카카오, 다음, 넥슨 같은 기업 외에 누가 세금을 낼 수 있을까? 그러면 이들이 과연 기본소득을 대신할 세금을 내려고 할까?

2020년 7월 29일 공룡 빅테크 기업 CEO인 제프 베이조스(아마존), 마크 저커버그(페이스북), 순다르 피차이(구글), 팀 쿡(애플)이 미국 하원 법사위 반독점 소위원회 청문회에 원격으로 출석했다. 시가총액 5조 달러(6000조 원)에 달하는 미국 거대기업 수장들이 의회 청문회에 동시 출석한 것은 역사상 처음 있는 일이었다. 청문회 쟁점은 IT대기업이 시장 지배력을 남용해 독과점 특혜를 누렸는가 아닌가에 있었다. 하원 법사위 반독점 소위원회 위원장 데이비드 시실리니는 이렇게 말했다.

> 이들 기업은 너무 막강하여 경쟁과 창의성 혁신을 짓누르고 있다. 또한 그들의 봐주기 관행이 경제에 악영향을 미치고 있다. 특히 구글은 거대한 권력으로 중소기업들의 콘텐츠를 훔치고 있다.

트럼프 대통령은 이 청문회에 높은 관심을 보이며 "의회는 빅테크 기업 규제를 이미 수년 전에 했어야 했다. 그게 이뤄지지 않으면 내가 직접 행정명령을 내릴 것이다"라고 말했다. 한편 트위터 CEO 잭 도시는 미국 내에서 코로나19 이후 부쩍 확산되는 기본소득 논의에 동참한다며 기본소득을 추진하는 '미국 지자체장 협의기구'에 300만 달러를 기부했다. 이 협의기구는 기존 사회보장제를 보조하는 방식의 기본소득제를 구상 중이며 LA, 애틀랜타, 잭슨시티, 뉴욕에서 700만 명에게 시범 프로그램 실시를 목표로 하고 있다. 그러나 잭 도시의 이런 선행은 막대한 폭리와 적은 고용을 감추는 위선적 행위로 비난받고 있다.

미국은 이미 1910년대에 시어도어 루스벨트 대통령이 거대 독점 기업의 횡포를 막기 위해 반독점법을 시행했다. 당시 록펠러의 '스탠더드 오일' 금융과 존 피어몬트 모건의 '노던 시큐리티'가 해체되었다. 공화당 소속이면서도 혁신주의 사회 운동에 크게 영향을 받은 루스벨트가 셔먼 반독점법을 밀어붙였기 때문이다.

1890년대부터 경제가 급성장한 미국은 날강도 귀족Robber Baron 이라 불린 각 분야 독점재벌이 정·관계를 휘두르면서 사회적 해악이 극에 달했다. 그때 루스벨트가 반독점법을 밀어붙여 자유방임시장에서 정부가 통제와 감시를 하는 신기원을 이뤄냈다. 그는 반기업 정책만 편 게 아니라 당시 사회주의에 물들었던 미국 노조의 노동쟁의에도 강경한 입장을 보여 군대와 경찰을 동원해 분쇄했다.

대중이 쪽박 차는 극단적 양극화 사회

오늘날 빅테크 기업을 바라보는 미국 정치인과 대중의 시각은 1910년대 루스벨트 시대 국민의 관점과 유사한 측면이 있다. 1910년대에 다수 노동자의 삶은 독점재벌 탓에 매우 비참했다. 그로부터 110년이 지난 지금도 빅테크 대기업의 독점, 플랫폼 독점기술로 다수의 노동자가 프레카리아트, 즉 비정규직 불완전고용 파트타이머로 전락하고 있다.

이를 필연적인 현상으로 보고 일자리 소멸을 무기력하게 수용해서는 안 된다. 세상에 필연적인 것은 없으므로 우리 머릿속에 주입된 '필연이라는 가상세계'를 없애려 노력해야 한다. 요즘 잘나가는 미래학자들은 대부분 이렇게 말한다.

> 기술 발달은 필연적이고 여기에 저항하거나 맞설 수 없다. 기술 발달을 부정하는 것은 러다이트 운동(기계파괴 운동)만큼이나 시대를 거스르는 무모한 도전이다. 산업혁명 이후 지금까지 기술 발달은 없어지는 일자리보다 훨씬 많은 새로운 일자리를 만들어 냈다.

이렇게 말하는 사람은 기득권에 기생하는 편협한 지식인에 불과하다. 물론 1차, 2차 산업혁명까지는 기술 발달이 일자리를 기하급수적으로 늘려왔다. 그러나 3차 산업혁명, 다시 말해 인터넷에 기반을 둔 지식정보화 시대에는 일자리가 급속히 줄어들었다. 19세기 산업혁명 초기 때처럼 중간층의 견실한 일자리는 사라지고 하층에 허접한 서비스직과 비정규직만 대폭 늘어났을 뿐이다.

상층의 대기업·금융업·기술기업 노동자는 극히 소수만 증가했다. 그 결과 세습 중산층이 등장하고 부동산이 폭등하면서 우리 사회는 20 대 80의 극단적인 양극화 사회로 가고 있다.

최근 상영한 〈엘리시움〉, 〈오블리비언〉, 〈채피〉, 〈디스트릭트9〉, 〈블레이드 러너2049〉, 〈이퀼스〉, 〈월요일이 사라졌다〉 같은 SF 영화가 그리는 인류의 미래상은 하나같이 '디스토피아'다.

그렇지만 현재 사회 상류층의 힘 있는 자들은 무조건 4차 산업혁명 육성과 지원, 규제 완화, 신기술 먹거리, 고용창출, 글로벌 차원의 경쟁력을 외치고 있다. 이것이야말로 우리 사회를 대중이 쪽박을 차는 극단적 양극화 사회, 대량실업의 노예 사회로 만들고 말 것이다.

정치철학이 부족한 삼류 리더들이
망친 한국 정치

대립의 연속인 한국 정치

한국 정치는 오랫동안 좌우 이념 대립과 여기에 결부된 남북 간 대립, 영호남 지역 대립으로 갈등을 일으켜 왔다. 최근에는 세대 간 대립, 계층 간 대립 문제가 새로 급부상하고 있다. 솔직히 말해 한국에는 서구와 같은 정상적인 진보와 보수가 존재하지 않는다.

한국의 좌파세력은 일제강점기에 러시아 레닌 공산혁명이나 중국 마오쩌둥 공산혁명의 영향을 받아 국내외 상류 지식인층을 중심으로 광범위하게 퍼져 있었다. 문맹에다 하루하루 생계를 위해 싸워야 하는 서민 대중은 체념한 채 일제의 한국 지배에 수용적 태도를 보였다. 다만 소련과 중국 사회주의 혁명의 영향을 받은 소수 지식인층 덕분에 좌파사회주의 이론을 어느 정도 학습해 좌익계 항일운동에 익숙해져 있었다.

반면 보수 이념은 개념 정립은커녕 이를 제대로 이해하는 사람조차 아예 존재하지 않았다. 20세기 전반기 미국, 유럽 등 서구 사회에서도 보수는 제국주의를 지향하는 기득권 세력을 뜻하거나 단순히 반공산주의 성향 정도로 이해하기 일쑤였다. 미국에서도 '현대 보수주의 사상' 개념은 1950년대 들어서야 러셀 커크 등이 정립하기 시작했다.

광복 직후 한국의 보수세력은 공산주의에 반대하는 친미나 지주계급세력, 북한에서 김일성 지배에 반대해 내려온 '월남반공세력'으로만 이해했을 뿐 자칭 보수세력 내에서도 '친미반공' 외에 보수 개념이 무엇인지 이론적으로 설명하지 못했다. 지주계급세력의 지지를 받아 집권한 이승만 초대 대통령의 이념 정체성도 '현실론적 반일, 기독교, 친미, 친지주계급, 반북' 등이 결합한 복잡한 것이었다.

그가 집권기에 펼친 정책에는 보수주의 개념이 없었으며 '농지개혁'은 제2차 세계대전 이후 독립한 제3세계 신생국의 입장에서 매우 급진적인 정책이었다. 다만 대한민국 건국의 중심축인 군인, 경찰, 법조인, 공무원은 아무래도 근대 국가체제에서 일을 해본 경험자로 채울 수밖에 없었고 그들 다수가 일제 치하에서 일을 했던 인물이라 일제강점기의 사회통치체제를 이어받았다. 이때 미국과 독일의 헌법·법률, 행정, 의회 같은 국가시스템 체계를 상당히 유사한 형태로 도입했다.

그 뒤 이승만이 4·19로 자진 하야하고 의원내각제에 이원집정부제 요소를 가미한 민주당 중심의 제2공화국이 출범했다. 그런데 그 주체들은 이전의 한국 식 관습 제도를 모두 부정하느라 무엇을 해야 할지 모른 채 헤매다가 5·16군사혁명으로 무너졌다. 군사혁명은 반공, 우방과의 연대, 부패·구악 일소, 퇴폐 청산, 민생고 해결, 자주경제 재건, 공산주의와의 대결에서 승리를 내걸었으나 그 핵심은 '반공과 경제부흥'이었다. 5·16군사혁명 주체인 박정희 자신이 건국 직후 남로당과 관련해 활동한 전력이 있다 보니 그는 의도적으로 미국과 국민을 향해 반공을 강하게 주장했다.

박정희 정권 아래 한국경제는 급속히 성장하고 중산층도 생겨나기 시작했지만 이때 보수 이념과 그 주체는 '반공 관변·어용단체'가 상징하는 하향식 관제보수 운동이었다. 반공·멸공을 넘어 무엇이 보수주의인지 제대로 아는 사람은 아무도 없었다. 하지만 그때를 기점으로 경제성장이 마치 보수의 주된 사회·경제 가치인 양 주입되어 왔다. 한국의 좌파세력은 그 반대편에서 민주화운동과 노동운동을 지속했으나 그 축의 깊은 뿌리가 북한에 우호적으로 접근하는 데 있음을 부인할 수는 없었다.

10·26 사태로 박정희 정권을 이어 전두환·노태우 정권이 들어섰지만 현대적 중산층 세력 형성과 성장 가속화, 정권 유지를 위한 민주주의 유보 외에 보수 이념은 없었다. 오히려 관제·어용 성향 단체의 역할만을 더욱 강화했다. 이후 좌파세력은 1987년 민주화 투쟁으로 외양을 '민주주의 세력'으로 강화했지만 이미 1980년대 초부터 북한의 직접적 영향을 받은 주사파 세력이 한국 사회 노동·농민·사회 운동, 학생 운동, 종교·문화·언론 운동 전반에 강하게 자리를 잡았다.

노태우 정권과 3당 합당으로 정권을 잡은 김영삼 때야말로 제대로 된 한국 보수주의 씨앗을 본격적으로 뿌릴 수 있는 절호의 기회였다. 하지만 YS의 정체성은 DJ와 별반 다를 게 없는 옛 민주당으로, 그 주변에는 운동권 출신이 다수 포진하고 있었다. 그러다 보니 YS는 취임식에서 "민족보다 더한 가치는 없다"고 말함으로써 '보수 + 민주화운동 + 아스팔트투쟁 + 반군부독재'가 뒤섞인 복잡한 이념 성향을 드러냈다. 사실 YS는 보수·진보 개념 없이 그냥 야당 투쟁을 해 오다 군부세력과 함께 정권을 잡은 테크니컬 무이념 중도 성향으로 봐야 한다. 이러한 정체성에 따라 YS는 개인적 인기나 지지도, 충성심에 매몰되어 있다가 임기 말인 1997년 IMF 사태를 초래하고 말았다.

IMF 사태를 맞아 혼란 속에 치른 대선에서 YS는 자신의 과거 동지이자 경쟁자이던 DJ를 사실상 지원함으로써 자기 당 후보에게 재를 뿌리는 기상천외한 행보를 보였다. 이는 국민 다수가 이념이 아예 없는 무개념 세력을 보수라고 착각한 탓이다.

DJ·노무현 정권 10년에 이어 집권한 이명박 정권은 무능한 좌파의 위선과 가식에 질린 대중의 '유능한 인물' 요구가 부른 욕망에서 비롯되었다. 그러나 도덕성이 떨어지고 탐욕스러운 자가 유능할 경우 자신의 축재에만 뛰어날 뿐 결코 국민을 위해 그 유능함을 발휘하지 않는다. 월급쟁이 신화로 세상에 자신의 존재감을 알린 MB(이명박)는 그저 최고 재벌회장 밑에서 수단과 방법을 가리지 않고 살아남는 능력에 탁월했을 뿐이다. 집권 초 광우병 선동 집회를 겪은 MB

는 전 정권에 보복도 했지만 이후 '중도실용, 상생'이라는 현실적 타협 노선으로 선회했다. 그 결과가 정운찬이라는 정체성이 불분명한 인물의 총리 선임이다(그는 지금 문재인 정권을 지지한 대가로 한국야구위원회 KBO 총재로 있다). 여하튼 이명박의 부패와 기회주의 속성에도 불구하고 박정희 가문의 유산은 그의 딸 박근혜를 대통령 자리로 밀어 올렸다.

박근혜 정권은 집권 이후 통진당 해산, 국정교과서 개편, DMZ 목함지뢰 사건 등에서 보수의 정체성을 세웠지만 전반적으로 창조경제·문화융합 등 기득권 대기업의 입김이 스며든 정책을 다수 펼쳤다. 특히 2015년 목함지뢰 사건 수습 후 천안문 광장 망루에 올라 시진핑과 함께 중국인민해방군을 사열한 것은 박근혜 정권의 정체성이 불분명하다는 것을 보여 준다. 이는 '실용'이라는 미명 아래 중국과 이해관계가 깊은 대기업의 영향력에 따라 친중 성향을 보였음을 의미한다. 당시 미국 오바마 행정부 측은 한미 관계가 역대 가장 드라이하다고 지적하기까지 했고 미국 동맹국들은 대부분 천안문 행사에 불참했다.

박근혜 정권은 소수 측근에게 둘러싸여 사실상 새누리당이나 국민과 동떨어져 있었다. 집권 전에는 경제 민주화 등 시민 경제에 관심을 보였으나 집권 이후 서민·청년 주거정책인 '행복주택'은 흐지부지되었고, 대기업의 고액 월세 아파트 '뉴스테이'를 내세우며 월세 시대와 부동산 부양정책을 홍보했다. 박근혜 정권이 지지 기반인 서민보수세력과의 흡착력을 잃어가는 동안 야당과 좌파세력은 2014

년 4월 세월호 침몰을 계기로 박근혜 정권의 세력 약화 작업에 들어갔다. 2013년 내내 공세를 폈던, 2012년 대선 국정원 개입 공작이 먹혀들지 않는 상태에서 세월호 사건은 그들에게 박근혜 정권을 흔들 호재였다.

결국 세월호 사건과 그 수습 과정에서의 의문 제기를 제대로 진압하지 못한 박근혜 정권은 2014년 11월 〈세계일보〉의 '청와대 보고 문건' 폭로로 흔들리기 시작했다. 설상가상으로 2014년 당대표와 서울시장 후보 경쟁에서 친박세력이 패배하고 김무성이 당대표가 되면서 분열과 몰락의 길을 걸었다.

이 틈을 야당 좌파세력이 집중적으로 파고들어 박근혜 정권의 최대 아킬레스건인 '최순실과 문고리 3인방, 세월호 사건'을 서로 엮으면서 박근혜는 탄핵으로 내몰렸다. 나아가 집권당 내분으로 2016 총선에서 새누리당이 제2당으로 전락하고 친박·친이 분열과 보수언론 이반으로 정권 몰락이 시작되었다. 이처럼 보수의 가치도 세우지 못하고 보수 내부의 형식적인 단결도 이루지 못한 채 박근혜 정권은 분열과 측근 전횡으로 무너져 갔다.

좌든 우든 기성 정치세력은
세상을 바꿀 생각이 없다

저성장 시대가 가져온 포퓰리즘

고성장 시대에는 포퓰리즘이 결코 발생하지 않는다. 최근 10여 년간 미국, 유럽, 남미, 아시아 등 지구촌 전역에서 포퓰리즘이 부쩍 유행하는 이유는 2008년 금융위기 이후 저성장 시대가 지속되고 있기 때문이다. 미국 금융위기가 유럽으로 전이되면서 PIIGGS(Portugal, Italy, Ireland, Greece, Great Britain, Spain), 즉 돼지들이란 비속어로 불린 포르투갈, 이탈리아, 아일랜드, 그리스, 영국, 스페인 6개국은 국가부채 위기에 놓였다. 이때를 전후해 한국에서는 비정규직 평균 급여 119만 원에다 20대 평균 급여에 해당하는 74%를 곱한 '88만 원 세대'라는 말이 유행했다. 2007년 8월 출간한 《88만 원 세대》에서 저자 우석훈은 이렇게 말했다.

지금 20대 중 상위 5%만 5급 사무관급 이상의 단단한 직장에 다닐 수 있고 나머지는 평균 88만 원 정도를 받는 비정규직 삶을 살아갈 것이다.

이탈리아에서는 이와 비슷한 '1000유로 세대'라는 말이 유행했는데 이는 150~160만 원의 급여를 받는 비정규직이 다수이고 실업이 보편화한 당시 이탈리아 청년 세대를 일컫는 말이다. '1000유로 세대'는 이탈리아 영화계에도 등장했다. 영화에서 주인공은 밀라노에서 마케팅 관련 일을 하는 30세 남자로 언제 잘릴지 몰라 부업으로 대학에서 시간강사로 일하고 있다. 수학 전공자로 시골에서 도시로 상경해 월세 셰어링을 하며 하루하루를 버티는 그 청년의 미래는 암울하기만 하다. 이것은 그들 부모 세대에 당연했던 안정적인 직장과 결혼이 불확실한 꿈으로 변해버린 청년들의 좌절을 묘사한 동명소설을 영화화한 것이다.

주거 공간의 월세조차 버거워 여러 명이 나눠 내며 살고 투잡을 뛰어도 저축이 불가능한 'N포 세대'에게 미래는 있는 것일까? 유럽, 한국, 미국에서 등장한 포퓰리즘은 금융위기가 불러온 사회적인 불안이 그 배경이다.

2008년 금융위기로 수백만 명의 미국인들이 집과 일자리를 빼앗겼는데 당시 순식간에 삶이 무너져 노숙자로 전락한 중산층의 모습을 TV와 미디어로 지켜본 미국인들은 커다란 충격을 받았다. 그 충격이 화이트칼라가 중심이 된 '월가 점령 운동'의 시발점이다. 이처럼 금융위기는 기성 정치 엘리트들이 대중의 삶에는 관심이 없고 기득권 세력들과의 이해관계에 기반을 둔, 자기 밥그릇 챙기기에만 열중하는 현실을 자각하게 해 주었다. 이때 '아무도 보잘것없는 내 삶에 관심을 보이지 않는다', '나는 그들에게 다만 표로 존재할 뿐이다', '기성 정치세력으로는 절대 세상이 바뀌지 않는다'는 자각이 서민 대중의 머릿속에 강하게 새겨졌다. 그 순간 미국과 유럽에서 혜성처럼 등장한 것이 포퓰리즘 정당이다.

대리인의 함정에 빠진 대의민주주의

21세기 들어 유럽에서는 기성 정치권의 기득권적 행태에 실망한 청년 세대를 중심으로 '해적당' 같던 인터넷 정당이 점차 포퓰리즘 정당 형태를 갖추기 시작했다. 이에 따라 각국 총선에서 극우·극좌 포퓰리즘 정당이 득세하는 이변이 일어났다. 가령 그리스의 '시리자', 스페인의 '포데모스', 독일의 'AFD'가 의미 있는 수준의 표를 얻었다. 프랑스에서는 극우 정당 국민전선(지금은 국민연합으로 개명)의 마리 르펜 후보가 2017년 4월 대선의 1차 투표에서 1위를 차지했다. 영국에서는 2014년 유럽의회 선거에서 극우 영국 독립당이 27.5% 득표로 1위를 했는데 이들은 2016년 브렉시트 국민투표 때도 가결에 결정적 역할을 했다.

2016년 11월 미국 대선에서도 공화당의 도널드 트럼프가 모두의 예상을 뒤엎고 대통령에 당선되었다. 당시 대다수 미국 여론조사기관과 언론, 심지어 한국 언론도 다수가 민주당의 힐러리 클린턴 당선을 예측했다. 그 무렵 TV에서 여러 번 정치평론을 한 나는 유독 혼자만 "트럼프가 이긴다"고 분명히 말했는데 그때 모든 TV 앵커와 함께 출연했던 사람들은 나를 조롱하듯 쳐다봤다. 나중에 트럼프가 당선된 후 특집 방송에 출연을 요청받았지만 나는 힐난하던 그들의 눈빛이 생각나 거부했다.

내 예측은 '소 뒷걸음치다 쥐 잡은 격'도 아니고 운이 좋아 우연히 맞힌 것도 아니었다. 사실 나는 그 1년 전부터 유튜브 '뉴스브리핑'에서 트럼프가 당선될 것이라고 지속적으로 얘기해 왔다. 내가 정확히 예측한 비결은 포퓰리즘 시대가 열리고 있음을 간파한 데 있었다. 2008년 금융위기 이후 나는 '미국 대공황 사태'를 계속해서 분석했고, 특히 1920~1930년대에 유럽에서 왜 파시즘이 득세했는지, 이것이 왜 대공황 이후 더욱 거세져 제2차 세계대전으로 이어졌는지 명확히 이해했다.

제1차 세계대전과 제2차 세계대전 사이의 전간기 동안 유럽·미국에서는 경제 침체가 가속화했고 이는 유럽·미국 전역에 공산주의와 파시스트 그룹의 극렬한 득세를 불러왔다. 2008년 금융위기 이후 세계경제가 장기침체에 빠지자 포퓰리즘이 득세하는 것과 똑같은 이치다. 1991년 공산주의가 몰락한 상태에서 세계 민주주의와 사회복지, 자본주의가 90년 전 대공황 때보다 좀 더 정교하게 발달한 까닭에 파시즘을 대신해 포퓰리즘이 맹위를 떨치고 있는 것이다.

2008년 금융위기 이후 세계 각국의 많은 경제학자가 입만 열면 "세계경제가 많이 회복되었다"고 떠들어 댔다. 심지어 2017년 전후로 세계경제가 다시 호황으로 접어들자 경제학자들 사이에 "문재인 정권은 참 재수가 좋다"라는 말까지 나왔다. 내가 가장 경멸하는 집단이 바로 경제학자와 경제학 교수들이다. 그들은 시류에 영합해 하나 마나 한 말을 입에 달고 살지만 정작 경제위기가 발생하면 어떠한 책임도 지지 않는다. 책임은 없고 이해관계자인 정권과 대기업을 위한 가짜 경제학을 하는 그들을 진정 학자라고 할 수 있을까?(미국에서도 정치인 다음으로 불신을 받는 집단이 경제학자다)

여하튼 2016년 11월 무렵 미국은 경제 회복으로 외관상 최저실업률을 보였으나 내막을 보면 양극화가 극심해 저임금 서비스 일자리만 넘쳐났다. 견실한 중산층 일자리는 상당수가 사라져 버렸다. 세계 최고의 부자 나라 미국에서 매년 수만 명이 암을 치료할 의료보험이 없어 사망했고 100만 명이 노숙자로 지냈다.

또 도로가 파헤쳐 지고 다리가 붕괴 위기에 처해도 이를 재건할 국가예산이 부족했다. 과거 자동차, 철강, 조선으로 미국을 대표했던 오대호 연안의 공업도시는 황폐한 슬럼가로 변했고 교육 환경은 날로 악화했다. 여기에다 예산 부족으로 많은 공립학교를 통폐합하는 한편 경찰과 교사의 봉급 수준이 낮아졌다. 팜벨트라 불리는 중부의 농업지대 역시 황폐해져 루저들만 남아 있는 황량한 도시로 변해갔고 은행지점이 없는 도시가 늘어났다. 사실상 미 하층 노동자의 실질임금은 20여 년 전보다 더 낮아졌다.

이런 상황에서 저소득, 저학력 백인노동자층과 백인 농장주들은 워싱턴 DC나 뉴욕의 정치·사회 엘리트에게 무시당한다고 생각했다.

미국의 실질적인 주인인 자신들보다 '정치적 올바름Political Correctness, PC'을 강조하는 진보좌파의 이념이 사회에서 더 크게 먹히고 있다는 데 모욕을 느끼기도 했다.

공화당 지도부는 미국 대기업과 월가에만 신경 쓰는 기득권으로 전락하고 정통 미국 가치에 신경 쓰지 않는다는 상실감과 소외감도 있었다. 이때 '미국을 다시 위대하게Make America Great Again'라는 슬로건 아래 외국인 노동자 추방, 멕시코 장벽 건설, 세계의 경찰 노릇을 포기하고 미 국민을 위해 세금을 쓰는 고립주의, 레이건 식 강경 우파 가치 복원, 해피 홀리데이Happy holiday 대신 메리 크리스마스Merry Christmas 인사 복원(미국에서는 유대인 등 다른 종교인을 배려해 메리 크리스마스 대신 해피 홀리데이를 쓰기도 한다), 러스트벨트의 일자리 회복을 외친 트럼프는 백인노동자 계급에게 전통 공화당 지도부와 다른 새로운 '포퓰리즘 전도사'로 받아들여졌다.

당시 민주당 샌더스 후보의 주장과 정책도 트럼프와 매우 유사하다. 이는 미국 대중의 정치의식이 공화당이나 민주당 지지 성향과 관계없이 포퓰리즘 쪽으로 상당히 기울어 있다는 의미였다. 트럼프에게 공화당은 간판에 불과했고 그는 결국 포퓰리즘을 내세워 대선에 승리했다.

미국에서 포퓰리즘을 내세워 대통령에 당선되었다는 것은 예사로운 일이 아니다. 영국과 미국은 현대 민주주의 종주국으로, 이들 두 나라는 2016년 똑같이 브렉시트와 트럼프 당선이라는 포퓰리즘 핵폭탄을 맞았다. 포퓰리즘은 기성 엘리트들의 무관심에 진저리를 치는 서민 대중에게 이렇게 외쳤다.

우리는 당신들에게 관심이 있다. 기성 정치는 전부 먹물 엘리트가 장악
하고 있다. 당신들은 그들이 장악한 두 정당 중 하나를 선택할 뿐이다.
여기에 선택권이 있다고 볼 수 있느냐? 우리는 다르다. 당신들의 불만과
분노를 이해한다. 당신들의 세상을 만들려면 당신들을 위해 주는 우리를
찍어야 한다.

대중은 민주주의와 시장경제라는 허울 속에서 자기 삶을 주도하
는 능력을 상실하고 들러리로 전락했는데 그 배경에는 대의민주주
의 제도의 결함이 자리 잡고 있다. 현대 대의민주주의는 이미 '대리
인의 함정'에 빠져 있다. 현대의 모든 국민이 신처럼 떠받드는 민주
주의에는 커다란 함정이 있다. 장점이 많지만 완벽하고 최종적인 제
도는 결코 아니다. 이것이 포퓰리즘 시대를 열어젖힌 원인이다.

민주주의의 결함과
대리인의 함정

가짜 민주주의로 전락하는 이유

경제학에서 배우는 용어 중에 공유지의 비극Tragedy of the Common이 있다. 이것은 내 것도 네 것도 아니라서 모두가 비용 없이 사용할 수 있는 '공유지'는 금세 쓸모없는 황무지로 변한다는 의미다. 오스트리아의 자유주의 철학자이자 경제학자인 한스 헤르만 호페는 "민주주의에서 주권이 모든 국민에게 있다는 말은 모두에게 없다는 말과 같다"며 "주인 의식이 흐려지면 누구나 무엇이든 마음대로 쓰고 버리게 마련이다"라고 말했다. 이는 주권자인 국민이 국가 소유권을 대리인에게 위임한 뒤 소유권 의식이 흐려지는 점을 지적한 것이다.

바로 여기서 주인-대리인 문제Principle-agency Problem가 등장한다. 유권자가 주인이라면 이들이 자신을 대신해서 일하도록 선출한 정치인과 정부는 대리인이다. 사실상 소유권이 없지만 위임을 받은 대리인은 마치 주인인 양 전횡과 패악을 저지를 가능성이 높다. 특히 주인 의식이 없는 대리인은 나라의 귀중한 재화와 인력을 국민이 아닌 자신을 위해 사용하려는 사적 동기의 유혹에 빠진다. 이와 관련해 1986년 노벨경제학상 수상자 제임스 부캐넌 교수는 공공 선택이론을 주장했다. 그는 국가를 '인격이 있는 유기체로 봐서는 안 되며 결국 각 개인의 총합일 뿐'이라고 해석했다.

전통 정치이론은 '개인이 경제행위를 할 때는 이기적으로 행동하지만 정치행위를 할 때는 이타적으로 행동한다'고 가정해 왔다. 부캐넌은 "개인은 어떤 행위를 하든 이기적으로 행동한다"라며 민주정치 과정에서 경제적 비능률을 제거하고 국가를 제대로 운영하려면 정책 수립 과정에서 헌법과 법률에 경기규칙Rule of Game을 분명히 명시해야 한다고 주장했다. 특히 그는 국가예산과 정책을 자신의 이익을 극대화하고 자신에게 유리한 방식으로 사용할 수밖에 없는 정치인과 공무원의 속성을 지적했다.

다시 말해 정치인과 공무원이 한정된 자원을 국민보다 자신의 이익을 위해 사용하고자 예산을 마구 늘리고 표를 의식해 특정 집단에 아부하는 선심성 정책을 펼 가능성이 크다는 것이다. 복지도 표를 얻기에 유리한 대상에게 무차별적으로 늘리는 선택을 한다. 바로 이것이 대리인의 타락이자 함정이다.

몇 년 전 세계에서 가장 오래된 민주주의 국가 그리스에서 일어난 국가재정 파탄은 그 실정을 잘 보여 준다. 그리스는 유권자의 표를 의식해 중도 좌우파 정당이 자신들에게 유리한 지역, 업종, 직능 집단에 국가예산을 마구 사용한 결과 공무원이 국민의 8%, 근로자의 20% 수준이 되어버렸다.

민주주의 국가는 대부분 '다수결의 원칙'을 완벽한 철칙으로 여긴다. 그런데 실제로는 많은 나라에서 다수결의 원칙이 가짜 민주주의로 전락하는 중대한 이유로 작용하고 있다. 민주 선거에서 승리해 정권을 잡은 세력은 헌법과 법률 개정으로 민주주의 기본 원칙인 견제와 균형을 무너뜨리고 '합법적인 틀' 아래 독재로 나아간다. 이때 저항이 발생하면 다수결의 원칙에 따라 '이의를 제기하지 말라'는 강한 압박과 물리적 통제를 가한다. 이렇게 민주국가의 견제 권한인 헌법재판소·대법원·판사·검찰·감사원 기능은 다수결을 빙자해 무너지며 결국 독재국가로 변질된다.

지금 폴란드, 헝가리, 터키, 브라질, 인도, 필리핀에서 벌어지고 있는 현실은 민주주의가 다수결을 빙자해 얼마나 타락할 수 있는지 여실히 보여 주고 있다. 많은 나라에서 독재자가 돈을 뿌리거나 미디어를 장악해 선동하고 거리에 홍위병을 풀며 여론조사를 조작한다. 또 정적을 탄압하고 대중의 선호를 자신들이 원하는 대로 조작하기도 한다. 이렇게 조작하고 왜곡한 여론도 민주주의인가?

일부만 사실이며 대체로 틀린 말

우리는 흔히 2011년 북아프리카의 재스민혁명을 스마트폰과 각종 SNS 플랫폼 발전으로 직접민주주의가 발달하면서 발생한 것으로 본다. 이것은 일부만 사실이며 대체로 틀린 말이다. 한국에서 페이스북, 트위터, 유튜브에 난무하는 정치적 주장 중에는 직접민주주의 발달에 유리한 부분도 있지만 권력이 가공해 SNS로 전하는 바람에 사실일까 의심스러운 것도 많다. 가장 대표적인 것이 코로나19 정국 속에서 'K방역 모범국'이라는 자화자찬이다. 대깨문의 댓글 조작도 직접민주주의 일부라는 문재인의 생각 역시 위험한 사고다. 공수처 장악, 헌재·법원·검찰·감사원 무력화, 공무원의 일사불란한 전제왕정 식 통솔이 한국형 직접민주주의 결과인가? 여권은 이 모든 것이 4연속 선거 승리라는 '다수결의 원칙'에 따른 결과라고 주장한다. 선동 당한 대중의 선택은 합법적인 방법으로 민주주의를 붕괴하고 무제한의 독재 공권력을 허용한다.

다수가 모든 것을 결정한다는 논리에는 엄청난 위험부담이 내재되어 있다. 민주주의는 다수결을 존중하지만 '양보와 합의'가 없는 다수는 독재로 전락할 수밖에 없다. 무제한의 민주주의는 결국 독재와 같은 말이다. 현대 민주주의에서 가장 위험한 함정은 국민의 심부름꾼이자 대리인에 불과한 정치인이 무제한의 권력을 쥐고 뒤흔들 가능성이다.

또 다른 민주주의 위험은 반드시 기득권 지향으로 가게 된다는 점이다. 어느 민주주의 나라에서든 돈 많은 집안에서 태어나 우수한 교육을 받고 좋은 경력을 갖춘 사람이 정치인이 될 가능성이 높다. 아니면 한국의 586처럼 시대적 배경과 정치 성향이 비슷한 동시대 학생운동 패거리가 그들만의 리그에서 주역이 될 수도 있다. 어느

쪽이든 이들은 기득권 집단을 형성하고 재계와 언론인, 법조인, 고위공무원, 자산가 집단, 전문직업인 등과 그들만의 네트워크를 구축해 이해관계를 공유한다. 모든 법률, 헌법, 예산, 국가정책을 그들이 공유하는 이해관계 범위 내에서 결정한다는 얘기다. 결국 국가 운영은 기득권 네트워크가 좌우한다.

오늘날의 기득권층이란 권력을 쥔 자들의 집단을 말하는데 돈, 즉 재력도 기득권에 속한다. 성인 인구 전체가 투표하는 '1인 1표 민주주의 체제'에서 이들은 자신의 지위를 지키기 위해 대중민주주의가 자신들의 이익을 위협하지 않도록 끊임없이 통제·관리하려 노력한다.

이는 투표권이 있는 광범위한 대중으로부터 돈과 권력을 쥔 집단을 보호하려 노력한다는 것을 의미한다. 과거의 기득권층인 귀족이 대중에게 보통선거 권리를 던져준 지 근 100년 만에 새 기득권층인 정치·자본 세력이 자신들을 보호할 방법으로 찾아낸 것이 바로 '기득권 엘리트 네트워크'다.

기득권 엘리트 이너서클의
공고한 벽

왜 다수의 대중이 고통을 겪고 있는 문제가 쉽사리 해결되지 않는 것일까?

많은 사람이 가끔 이런 의문을 던진다. 그 이유는 다수의 대중이 겪는 고통을 해결하려면 기득권의 이익을 침해해야 하기 때문이다. 미국에는 전 국민 의료보험이 없고 병원비와 약값이 엄청나게 비싸다. 더구나 사보험 회사와 의료 컨설팅 등 수많은 이익집단이 산재해 의료비용을 기하급수적으로 높이고 있다. 미국에서는 회사에서 쫓겨날 경우 곧바로 의료보험을 상실하기 때문에 중병에라도 걸리면 집을 팔고 거리로 나앉을 지경으로 내몰린다.

왜 미국은 다수 서민의 의료보험 문제를 해결하지 않는 걸까? 그것은 마이클 무어 감독의 다큐영화 〈식코〉에 나오듯 미국 정치인이 민간의료보험회사와 병원의 이해관계에 포획되어 있어서다. 그러면 다른 나라에서는 기득권층의 방해를 뚫고 국민을 위해 제대로 된 선택을 관철하고 있을까?

영국은 세계 최초로 산업혁명에 성공한 최대 공업 국가다. 자동차, 기차, 현대적 기선은 모두 영국에서 시작되었다. 그렇지만 오늘날 영국에는 제대로 된 자국 제조업이 거의 없다. 1980년대 신자유주의 이후 영국은 제조업을 포기하고 금융 국가로 탈바꿈했다. 입으로는 선진사업으로 변모하는 과정이라 말했지만 사실상 이것은 영국 기득권층의 선택에 따른 것이었다. 영국 기득권층은 과거 식민지 국가와 중동, 러시아, 중국 등 세계의 검은 자금을 다 빨아들이는 '더 시티'가 훨씬 더 부가가치가 높다고 판단했다. 영국이 금융자본에 특화하는 것이 기득권층에 보다 많은 이익을 안겨 주었기 때문이다.

이후 영국의 주요 제조업은 거의 붕괴되었다. 영국은 금융과 서비스, 문화 산업국가로 변모해 갔다. 1970년대 이후 영국 제조업은 약 50% 감소했고 반대로 서비스업은 45% 증가했다. 육체노동자 중심의 일자리가 고급 기술Skill을 사용하는 화이트칼라 일자리로 바뀐 것이다. 그런데 최근 15년간 서비스업에서 고급 기술 일자리만 늘어나고 다수의 하급 기술 일자리는 외국인 노동자가 잠식했다.

재밌게도 2016년 브렉시트 투표에서 이러한 영국의 산업 변화로 이득을 본 런던과 그 주변 도시의 고소득층, 교육 수준이 높은 사람들은 브렉시트를 반대했다. 이와 달리 쇠락한 공업 도시, 도시 변두리, 농촌 지역 사람들은 브렉시트를 압도적으로 찬성했다. 도시 주변부의 쇠락한 지역에 사는 영국 국민과 런던 주변 도시에서 높은 주택가격을 감수하며 외국인 노동자와 질 낮은 저임금 서비스업 일자리를 놓고 경쟁하는 저소득층, 교육 수준이 낮은 오리지널 영국인은 브렉시트라는 '자폭'을 선택했다.

브렉시트를 국민투표에 부친 캐머런 총리를 비롯해 영국 여·야당 정치인과 상류층은 대부분 브렉시트가 진짜로 국민투표에서 통과될 것이라고는 꿈에도 생각지 않았다. 영국 서민들의 대반란은 왜 일어난 것일까? EU의 일원인 영국의 위치가 외국인 노동자를 불러들여 일자리를 빼앗거나 저임금 경쟁을 유발하고, 세계 최고의 부동산 투기장이 되어버린 런던의 주거 문제가 그들의 삶을 뒤흔든다고 인식했기 때문이다. EU 체제는 영국의 상류층, 고학력자, 고소득자를 위한 것이기에 그들이 EU에서 벗어난 경제·사회 체제를 원하는 대반란을 일으킨 것이다. 영국 사회의 내부 모순을 정치권이 해결하지 못하자 서민들이 EU 탈퇴라는 대형 '사고'를 침으로써 상층 기득권 엘리트들에게 경종을 울린 셈이다.

2016년 트럼프의 대통령 당선도 미국 서민층의 문화·정서적 문제를 강하게 반영하고 있다. 워싱턴DC·뉴욕 같은 동부 대도시를 비롯해 로스앤젤레스, 샌프란시스코, 시애틀 등 중심부 지역 상층 엘리트를 향한 농촌과 쇠락한 공업도시에 사는 저소득·저교육층 백인 노동자들의 적대감은 상상을 초월할 지경이다. 특히 전통 애국심에 젖은 주변부 지역과 농촌 청년이 맹목적으로 군대에 자원했다가 아프가니스탄과 이라크 전쟁터에서 죽거나 다치거나 정신적으로 황폐해지고 있을 때, 미국 본토의 여피족이라 불리는 상층 엘리트들이 '반전'을 말하며 편안하게 살아가자 소위 먹물들의 가식과 위선에 엄청난 혐오가 쌓여 갔다.

트럼프 현상

신자유주의와 세계화 속에서 미국 내 공장들이 해외로 이전하고 기업과 정치권이 유착해 저임금을 받고 일하는 아시아, 남미, 멕시코의 불법 이민 유입을 허용하는 행태도 화를 돋웠다. 또한 동서부의 특정 도시만 부각하고 쇠락한 공업벨트 지역은 방치하며 농업 붕괴를 막지 않는 정부 정책을 향한 분노가 가식적이고 위선적인 정치 엘리트를 증오하는 형태로 번져 갔다.

바로 그때 트럼프가 등장해 그들에게 구세주급 선언을 하면서 인기가 치솟았다. 트럼프는 국민의 세금을 외국을 지키는 데 낭비하는 것을 막고 불법 이민을 용납하지 않을 것이며 중국과 멕시코 등 해외로 나간 공장을 돌아오게 해 다시 제조업 부흥을 꾀하는 한편 외국과의 무역전쟁도 불사하겠다고 선언했다. 흥미롭게도 사람들은 욕과 비속어를 남발하고 지저분한 사생활 폭로에 변명하지 않으며 자기감정을 직선적으로 표현하는 트럼프를 힐러리 같은 가식적인 지식인에 비해 솔직하다고 봤다.

지금까지도 묻지마 식 트럼프 지지층은 백인노동자 계층을 중심으로 40% 가까이 공고하게 형성되어 있다. 트럼프 현상은 '지성주의'인 척하는 엘리트 정치인에게 신물이 난 전통 미국 사회의 '반지성주의'라는 오래된 문화와 긴밀히 연결되어 있다.

영국 브렉시트와 미국 트럼프 당선은 기득권 엘리트 계층을 향한 서민들의 도전과 반란의 결과다. 그러나 여기에도 한계는 있다.

트럼프 자신이 아닌 척하긴 해도 실은 그가 기득권층이라는 점이다. 사람들은 트럼프에게 전통 먹물 기득권의 가식과 위선이 없다고 여기지만 트럼프는 금수저를 물고 태어난 세습기득권이다.

2017년 프랑스에서 마크롱이 대통령에 당선되고 오랜 역사를 자랑하는 공화당과 사회당이 몰락한 것도 기득권 붕괴와 관련이 있다. 마크롱 역시 파리정치대학과 국립행정학교를 나온 전형적 엘리트 관료 출신이다. 그는 세계적인 투자은행 로스차일드에 입사해 기업 인수합병 전문가로 일하면서 연봉 40억 원을 받던 금융인이었다. 이후 사회당 올랑드 정권에서 경제장관을 역임한 뒤 무소속으로 2017년 대선에 출마해 당선되었다. 그 뒤 마크롱은 '앙 마르슈!'라는 정당을 창당해 총선에서 대승을 거뒀다.

신자유주의 첨병인 세계적인 투자은행 출신의 마크롱은 분명 포퓰리즘을 원하는 프랑스 국민의 정서와 맞지 않는다. 세계는 지금 기득권 엘리트층을 타파하기 위해 온갖 시행착오를 겪고 있는 중이다. 트럼프와 마크롱 당선도, 브렉시트도 그 과정에서 벌어진 과도기적 사건에 불과하다. 2018년 이탈리아에서도 포퓰리즘 정당 오성 운동이 선거에서 승리한 후 연정 파트너를 바꾸어 현재까지 집권하고 있다. 오성 운동 출신의 주세페 콘테가 이탈리아 총리로 재임 중이다.

문제는 세계 기성 기득권 정치권에 거대한 균열과 단층이 생기고 있다는 점이다. 이제, 좋든 싫든 제2차 세계대전 이후 서구 사회에 공고하게 자리해 온 기득권 내 중도좌우파 정당 지배가 무너지고 포퓰리즘이 직접 정치 일선에 등장하는 것은 필연적이다. 이러한 포퓰리즘 시대의 등장은 기득권 정치를 향한 각국 서민들의 저항과 반란의 결과물이다.

정치인이 권력을 잡고자 하는
내밀한 이유

2020년 9월 초, KBS에서 영국 노동당 출신 전 장관이 유럽 곳곳의 포퓰리즘 현장을 탐방하며 인터뷰하는 시사다큐 프로그램을 방영했다. 포퓰리즘을 증오한 그는 가는 곳마다 포퓰리즘의 한계를 비판하는 인터뷰를 해서 프로그램의 결론을 그 방향으로 몰아갔다.

특히 유럽 각국의 중도좌파 정당, 즉 프랑스 사회당과 독일 사민당은 포퓰리즘의 가장 큰 피해자다. 제2차 세계대전 이후 수십 년 동안 중도좌우파 양당이 정권을 주고받으며 번갈아 집권해 오다 포퓰리즘 세력 득세로 그 생존마저 위태로운 지경에 이른 것이다. 그래서 포퓰리즘을 '정치·사회적 소외세력을 향해 무책임하게 그들이 원하는 말을 반복해서 하고 선동으로 정치권력을 얻으려 하는 사악한 세력'이라 규정한다. 과연 정치인과 정당 중에 유권자를 향해 무책임하게 반복해서 거짓말을 하지 않는 세력이 있던가.

정치인은 대부분 유권자의 표를 얻기 위해서라면 양심도 내팽개치고 무슨 일이든 하려 한다. 입으로는 유권자를 위하는 척하지만 실제로 그들이 신속하게 처리하는 정책은 금융규제 완화, 세금 인하, 저임금 노동력 유지, 토지규제 완화, 세금 완화, 각종 인허가 완화 같은 일이다. 알다시피 이들 정책은 대기업, 다국적기업, 금융자본가, 부동산 투기층을 비롯한 기득권 상류층의 이해관계와 긴밀히 닿아 있다. 이는 '붙어먹는 그들끼리의 마피아'에 걸맞은 행태이자 그들이 권력을 쥐고자 온갖 짓을 다하는 내밀한 이유이기도 하다. 그 대가로 상층 기득권은 정치인들이 상류층 네트워크의 일원으로 살아갈 수 있도록 돈과 각종 편의, 퇴임 후의 일자리 같은 반대급부를 제공한다. 결국 이들 정책은 소수 상층 기득권의 행복, 다수 서민의 불행으로 연결될 수밖에 없다.

지금 세계는 2008년 금융위기 이후 구조적 장기 불황에 빠져 있다. 코로나까지 덮치면서 경제봉쇄와 국제적 경제폐쇄로 총체적 난국을 겪고 있다. 대표적으로 미국 뉴욕은 코로나로 인해 빈민들이 대거 사망하고 일자리를 상실하거나 소득이 감소했다. 세계 각국 서민들 역시 삶을 유지하는 것 자체가 힘겨워지고 있다. 각 나라 정치인은 현금 지원 같은 금품 살포를 하고 있지만 이는 일회성에 그칠 공산이 크다. 장기 불황과 코로나 폐쇄경제 시대에 일회성·선심성 정책으로는 서민들이 안정된 삶을 유지하기 어렵다.

서민들이 안정된 삶을 유지하게 하려면 시대 급변에 걸맞게 정치·사회적 합의를 이뤄내야 한다. 기성 정치권은 포퓰리즘을 대중의 표를 노리고 무책임한 선심과 선동을 자행하는 나쁜 정치로 규정한다. 포퓰리즘이 싫으면 그들이 기득권과의 거래를 포기하고 다수 서민의 편에 서서 이 시대에 그들이 필요로 하는 정책을 정치에 반영하면 그만이다. 그러나 어리석은 정치인들은 얄팍한 조삼모사 식 선심정책만 펼 뿐 진정 서민을 위한 정책 대전환은 꾀하지 않는다. 왜냐하면 서민은 그들에게 줄 것이 없기 때문이다. 정치인 입장에서 생길 것 없는 서민의 삶에 지속적인 애정과 관심을 기울이는 것은 어리석은 짓이다.

그렇지만 진짜 어리석은 자는 정치인 자신이다. 그들이 포퓰리즘을 비판하는 사이 이미 포퓰리즘은 기성 정치인과 기득권층의 안온한 일상 유지를 위협하는 단계까지 번져 가고 있다. 자기들 발등에 떨어진 불똥을 오직 그들만 모를 뿐이다. 보수언론, 좌파언론, 상층 먹물 엘리트가 아무리 포퓰리즘을 비난해도 이제 포퓰리즘이라는 나무는 기득권층이라는 자양분을 먹고 자생해 거대한 숲을 이뤄 가고 있다.

착한 포퓰리즘과
사악한 포퓰리즘의 차이

사악한 포퓰리즘

한국에서는 포퓰리즘을 대놓고 사악한 정치의 대명사로 규정하고 있다. 보통은 대중을 선동해 정치적 이익을 얻으려는 '대중 인기 영합주의'라고 해석한다. 사실상 한국의 모든 정당은 포퓰리즘을 자신들의 정치활동에 적극 활용하고 있다. 대표적으로 총선과 대선을 비롯한 주요 선거 때마다 지역개발 공약이 난무하는데 이 모든 것은 사악한 포퓰리즘의 결과다. 예를 들면 새만금, 시화간척지, 4대강 사업, 경인운하, 양양과 무안의 국제공항, 김해·의정부·용인 경전철, 인천대교, 거가대교 등 한국의 사회간접자본SOC 사업 중 다수가 수백 조 원 예산을 낭비하며 표를 얻기 위해 만들어졌다. 수많은 민간자본(민자)으로 만든 고속도로, 다리, 터널도 마찬가지다.

물론 없는 것보다 있는 것이 낫겠지만 국가예산은 한정되어 있으므로 모든 사회간접자본은 가격 대비 성능을 감안하고 타당성 조사에서 충분한 가치가 있다는 결과가 나올 때 만들어야 한다. 미국과 유럽 같은 선진국에 가면 오래된 공공기관과 건물, 낡고 좁은 정부 청사와 의회, 오래된 기차·전철·도로·다리를 쉽게 볼 수 있다.

한국처럼 선거 때마다 사회간접자본을 공약하고 그 공약을 이행 하느라 국가예산 수백 조 원을 낭비하는 나라는 지구상 어디에도 존 재하지 않는다. 중앙 정부는 물론 내려갈수록 나쁜 것은 더 잘 배우 는지 지방자치단체의 예산 낭비 모습도 점입가경이다. 가령 빚더미 에 올라 재정자립도가 낮은 지자체가 청사만큼은 경쟁을 하듯 수백 억 원, 수천억 원을 들여 호화찬란하게 짓는다. 적막한 면 단위 마을 에만 가도 농협, 단위조합 같은 공공기관 건물은 제법 괜찮은 모양 새를 취하고 있다.

과거 정통성 시비에 휘말린 전두환 정권은 '국풍81' 같은 국가적 축제를 기획했으나 지금은 시군 단위로 전국이 봄, 여름, 가을, 겨울 할 것 없이 온통 축제를 벌이고 있다. 지역 주민에게 뭐든 일하는 것 처럼 보여 주는 걸 업적이라고 생각하는지 전국이 축제 경쟁을 하고 있는 것이다. 이 또한 세금을 낭비하는 대표적인 포퓰리즘이다.

어디 그뿐인가. 툭하면 바뀌는 보도블록, 곳곳에 조성한 산책로, 계절마다 갖가지 꽃과 나무로 장식하는 도로, 언제 버스가 도착한다 고 알려 주는 LED판과 호화 버스정류장, 심지어 더위를 피하는 대형 햇빛 가리개도 있다.

서울에서는 겨울이면 시청 앞 잔디밭이 며칠간 운영하는 스케이 트장으로 바뀌었다가 다시 잔디밭으로 돌아온다. 월드컵, 아시안게임, 동계올림픽 유치로 2~3주가 지나면 버려지는 대형 스포츠 시설은 또 어떠한가. 한마디로 이 나라는 틈만 나면 국민혈세로 만드는 포퓰리즘 행정에 국가예산을 대거 낭비하고 있다.

코로나 유행으로 한국은 2020년 추경예산 세 차례에만 59조 원을 편성했다. 그중 14조 3000억 원은 재난지원금으로 전 국민에게 나눠주었다. 추경예산 편성은 계속 이어질 계획이고 그사이 국가재정은 2020년 한 해에만 140조 원 적자를 기록했다. 2021년에는 상품권 쿠폰을 20조 원을 발행하고 장병 이발비도 월 1만 원씩 지급할 예정이다. 이 추세라면 문재인 정권 5년 동안 국가부채 410조 원이 쌓일 전망이다. 그럼에도 불구하고 기획재정부(기재부) 공무원들은 2045년이면 국가부채가 줄어들 것이라는 황당한 소리를 하고 있다.

포퓰리즘의 끝판을 보여 주는 문재인 정권은 최저임금 인상, 소득주도 성장, 주52시간 근무 정책을 시행하고 낭비적 일자리를 창출했으며 민노총을 중심으로 한 강성노조가 득세하는 한국을 만들었다.

이제 한국은 베네수엘라의 차베스와 마두로 정권 못지않게 대의민주주의 권력 분립, 균형, 감시 기능이 무너지고 대통령이 나서서 대깨문 댓글도 직접민주주의라고 말하는 지경에 이르렀다. 반일 감정 부추기기, 옛 정권을 향한 적폐청산, 의사와 간호사 이간질, 성 스캔들 수사, 신천지·게이·강경 보수 집단 코로나 주범으로 매도 등 한국은 온 나라가 포퓰리즘 소굴로 변해 가고 있다.

서민 중심의 자발적인 포퓰리즘 운동을 전개해야

물론 모든 포퓰리즘이 사악한 것은 아니다. 정치가 상층 기득권만을 위한 도구로 전락할 경우 포퓰리즘은 대중 정치로 나아갈 실마리를 열기도 한다. 하지만 한국 사회는 이미 삼류 포퓰리즘 소용돌이에 빠져 있다. 국민마저 패거리로 나뉘어 부지불식간에 그러한 포퓰리즘의 적극 참여자로 전락하고 있다.

현재 유럽, 미국에서 일어나고 있는 포퓰리즘은 정치인과 상층 기득권 네트워크의 부패 담합 속에 병들어 가던 민주주의를 회복하는 긍정적 서막으로 이해해야 한다. 수십 년간 누적되고 꼬여 있는 부패 기득권을 청산하는 과정은 멀고도 험난할 것이다. 그래도 포퓰리즘은 시행착오를 거듭하면서 그 본성에 내재된 선동주의와 인기영합주의를 버리고, 대중의 순수한 공동체 지속 열망과 요구를 수렴하는 방향으로 서서히 변해 갈 것임을 확신한다.

저질 선동을 앞세워 패 가름을 하고 예산을 낭비해 표를 사며 대중을 조삼모사의 원숭이로 만들어 가는 사악한 포퓰리즘은 절대 오래갈 수 없다. 더구나 이것은 국가와 사회를 무차별로 파괴하는 속성을 지니고 있다. 대중민주주의가 발달하려면 기득권 벽에 가로막힌 대중의 요구를 관철하기 위한 서민 중심의 자발적인 포퓰리즘 운동을 전개해야 한다. 이것이 정치인이나 상층 부패 기득권의 포퓰리즘과 달리 긍정적 목표와 가치를 위해 기성 제도권의 담합, 방해를 파괴하고 진정한 1인 1표 사회를 여는 과정이다.

지구촌 어디에서 상층 기득권 엘리트들이 대중을 위해 스스로 자신들의 규칙과 법칙을 허물고 새로운 정치·사회적 양보와 합의를 한 적이 한 번이라도 있었던가. 이미 민주주의가 타락하고 변질된 이 세상에서 서민 포퓰리즘 운동의 시작은 부패 기득권을 향한 혁명이자 '너희들의 공고한 부패 기득권은 이제 끝장났다'는 선언을 의미한다.

　거짓 선동과 예산 낭비 없이 소수가 아닌, 다수의 삶을 개혁하기 위해 부패한 옛 질서를 타개하고 모두가 더불어 살아가는 지속적인 공동체를 만들어 가는 서민 포퓰리즘은 21세기의 새로운 민주주의 혁명을 이뤄낼 것이다. 이를 두려워하는 자는 부패한 기득권자나 그들과 담합해 콩고물이라도 얻어먹으려 하는 비루한 먹물 정도밖에 없다.

서포 15조의 탄생

서민들의 미래는 서민 스스로 개척해야 한다.

이 우울한 시대의
탈출구는 딱 하나뿐이다

서민의 삶에 어떠한 고민도 하지 않는 한국 사회

　서로 다투기 바쁜 한국 사회의 거대한 좌우 수구기득권은 국민 다수를 점하는 서민의 삶을 두고 어떠한 고민도 하지 않는다. 한국 사회는 지금 인구 멸종과 지방 소멸, 자살, 빈곤이 보편화한 세상으로 추락해 가고 있다. 2020년 8월 26일 통계청이 발표한 '2019년 출산 통계'에 따르면 한국은 합계출산율이 0.92명이다. 2018년 0.98명이던 것이 1년 사이 0.06% 감소해 0.92명이 된 것이다. OECD 국가 중 합계출산율이 1명 미만인 나라는 한국뿐이며, OECD 국가의 2018년 평균은 1.63명이다.

　2019년 출생아 수는 30만 2,700명으로 2018년 대비 2만 4,100명(7.4%) 감소했다. 울릉도를 비롯해 전국 군 가운데 영양군, 군위군, 무주군, 장수군, 의령군, 곡성군, 단양군이 출생아 수 100명 미만을 기록했다. 한국은 향후 10년 내에 지방 소멸을 우려해야 하는 처지로 전락한 셈이다.

대한민국 65세 이상 노인 빈곤율은 2018년 기준 45.7%로 OECD 평균 12.9%를 훨씬 능가하고 있다. 65세 이상 가계부채율도 금융자산의 73%로 전 국민 64%보다 훨씬 높은 것으로 나타나고 있다. 특히 노인 단독가구 빈곤율은 76.2%에 이른다.

2018년 한국 자살자 수는 1만 3,670명으로 자살률 역시 OECD 1위인데 이는 2017년보다 2.3명 늘어난 수치다. 특히 80세 이상 자살률이 69.8명으로 아주 높고 10대 자살률도 2017년보다 22.1% 증가했다. 이 글을 쓰는 순간에도 서울 중랑구 상봉동에서 성인 남성 2명, 여성 1명이 함께 자살을 했는데 2명은 20대였다. 코로나19로 경제가 붕괴되고 실업과 폐업이 본격화하고 있는 한국 상황으로 보아 앞으로도 수많은 자살이 연이어 발생할 것으로 보인다. 안타깝게도 한국 인구는 2020년 사상 처음 줄어들 전망이며 고령화도 급속히 진행되고 있다.

청년실업률은 이미 10%를 넘어섰고 보다 긴 시간 일자리를 원하는 확장실업률은 26%가 넘는다. 아르바이트 경쟁률만 해도 수십 대 일이고 대학을 졸업한 뒤 미래를 설계하고 결혼할 수 있는 괜찮은 일자리에 취업하는 청년은 5만 명 정도에 불과하다.

한마디로 지금은 청년과 노인이 동시에 불행하다. 국민소득 3만 달러를 자랑하는 나라에서 자기 집을 갖거나 결혼, 출산하는 것이 불가능하고 노인 빈곤에 시달릴 가능성이 절반이라면 대체 이 나라에는 정치가 왜 존재하는 걸까? 초고령화에다 인구 감소, 지방 소멸, 자살률 세계 1위 현상이 나타나고 있는 이 나라가 '헬조선'이 아니라고 누가 우길 수 있겠는가?

한국은 2019년 OECD에 신고한 성장률이 1.2%인데 이나마도 슈퍼예산과 추경을 들이부은 결과다. 2020년은 최소 −3%대 성장을 예상하고 있으나 이마저도 여의치 않은 상황이다. 만약 성장률이 여기에서 뒷걸음친다면 현재 이 나라가 겪고 있는 '지옥도'에서 벗어날 가능성은 거의 없다고 봐야 한다. 그럼에도 불구하고 문재인은 소주성과 주52시간 노동, 재난지원금, 쿠폰을 던져주고 있고, 황교안은 만화 같은 '민부론' 그리고 김종인은 '기본소득' 같은 헛소리를 남발하고 있다. 솔직히 정치권 여야를 통틀어 한국이 지금 어디로 가고 있고 어떤 상태에 있는지 제대로 판단하는 정치인은 눈을 씻고 찾아봐도 없다. 관료조차 철밥통 수명을 이어가기 위해 권력자의 눈치를 살피며 통계를 조작하는 일에 열심이다.

서민 포퓰리즘으로 혁명을 실현

세계가 장기 저성장을 이어가던 국면에 들이닥친 코로나 위기는 머지않아 한국경제에 치명적 붕괴 상황을 초래할 것이다. 예정된 추락을 향해 절벽으로 꾸역꾸역 폭주하는 기관차의 모습이 현재 한국사회가 나아가는 방향이다.

정치인은 '희망'을 팔아서 먹고사는 종족으로 절대 장사가 되지 없는 '비관'을 팔지 않는다. 관료는 정치인이 희망을 요구하면 없는 희망이라도 만들어 내야 출세하며 절망을 직언하면 출세는 물 건너 간다. 언론은 붙어먹는 정권을 엄호해야 먹고살거나 기득권 재벌을 편 들어야 먹고사는 수가 생긴다. 먹고사는 것이 목적인 언론이 생계에 지장을 초래하는 국가 붕괴를 말해서야 장사가 되겠는가. 이 나라 교수와 각종 연구원 등 수많은 박사들은 어디에 붙어야 기득권을 유지하는지 본능적으로 잘 알고 있다.

결국 한국 사회 좌우 기득권은 한국이 추락을 향해 가고 있다는 불편한 진실을 결코 말하지 않는다. 이럴 때는 선지자보다 약장수 선동꾼이 되는 것이 훨씬 편하고 장사도 잘된다는 것을 이들은 알고 있다. 이미 이 나라에는 여야 좌우에서 포퓰리즘이 넘쳐나고 있다. 누구도 지금 벌어지는 한국 사회의 붕괴 방향을 냉철히 지적하고 이 몰락을 막으려면 무엇을 해야 하는지 말하지 않는다. 그것은 그들에게 개인적으로 전혀 돈이 되는 일이 아니기 때문이다.

현재 이 나라에 필요한 것은 어디가 잘못됐고 그것을 고치려면 무엇을 해야 하는지 솔직하게 말할 수 있는 세력이다. 포퓰리즘은 원래 '다수 대중이 원하는 바를 반영하는 정치'라는 긍정적 요소를 담고 있는 용어다. 그러나 정치인들은 이 단어의 의미를 '대중을 선동해 속이기 위한 용도로 하는, 지속할 수 없는 정치'로 바꿔놓았다. 그 탓에 내가 '서민 포퓰리즘'이라는 용어를 처음 사용할 무렵 학식 높은 많은 사람이 "포퓰리즘이라는 단어는 위험하다"며 쓰지 말라고 충고했다. 내가 볼 때 정치인과 기득권층의 커넥션에 대항해 서민을 위한 정책을 지칭하는 용어로 '서민 포퓰리즘'보다 더 좋은 것을 찾기는 어려울 듯하다. 특히 지금 한국 사회의 핵심 모순이 기존 나쁜 정치의 상징이 된 '포퓰리즘'과 이에 맞서는 '서민들을 위한 진정한 포퓰리즘'의 대결이라는 점에서 매우 적절하다고 본다.

서민 포퓰리즘은 저성장·역성장 시대를 인정하고 국가정책을 그 시대에 걸맞게 대대적으로 쇄신하자는 혁명적인 주장이다. 어차피 성장 시대가 끝나가고 있다면 그것을 인정하고 정치·경제·사회 분야에서 저성장·역성장 시대에 걸맞은 혁명적 대전환을 이뤄내야 한다.

한 시대를 떠받쳐온 정치·사회·경제 합의가 수명을 다할 경우 새로운 가치가 등장해 새 시대를 열어가야 한다. 그런데 정치 사기꾼과 수구기득권은 '재미'를 보고 있는 현재의 기득권을 잃기 싫어 새로운 시대로의 변화를 거부한다. 이러한 기득권 저항은 결국 혁명으로 끝내는 수밖에 없다. 현 시대는 서민 포퓰리즘으로 혁명을 실현하는 방법 외에는 탈출구가 없다.

개천에서 용이 나는 시대는 끝났다.
마냥 붕어, 개구리, 가재로 살겠는가

한국 진보의 위선

서민 포퓰리즘은 현 시대를 바라보는 가치관의 전면 변화를 요구하는 이념이다. 무지한 기득권층은 세상의 변화를 외면한 채 과거의 향수에 젖어 현재 누리는 특권을 지속할 수 있다고 생각하지만 기득권 시대는 점차 종말로 치닫고 있다. 장기 저성장 기조에다 코로나가 최소 3~5년은 갈 수밖에 없는 현시대 상황은 과연 어떤 모습으로 귀결될까? 정치, 경제, 사회의 거대한 '대전환기'를 맞은 지금 사회 기득권층이 수구적 행태를 지속할 경우 강제혁명으로 변화를 일으킬 수밖에 없다. 역사를 보면 혁명은 항상 사회 상층이 기득권을 유지하기 위해 수구적 행태로 일관할 때 서민 대중의 분노와 저항이 임계점을 넘어서면서 폭발적으로 터져 나왔다.

현재 한국 사회 정치권은 저희들끼리 진보와 보수라고 떠들고 있지만 사실상 신구 기득권층끼리 권력 쟁취를 놓고 벌이는 이전투구에 불과하다. 한국의 문재인 정권과 민주당, 정의당, 그밖에 장외 좌파세력이 진정 대중을 위한 변화에 앞장서는 혁명세력일까? 그들은 친북 이념으로 무장한 삼류 포퓰리스트에 불과하다. 솔직히 말하면 이들은 이념, 주장, 실천, 자신의 삶이 각자 따로 놀아나는 또 다른 정신분열 내지 자아분열적 수구세력에 지나지 않는다. 그들의 진보 가치는 구호로만 존재하고 실상 그들의 권력추구 행태나 이념 실천, 살아가는 모습은 그들이 그토록 혐오하던 보수 수꼴 정치인의 삶과 다를 바가 하나도 없다.

조국 가족이 대단한 건 한국 진보의 위선, 가식, 허울을 한 방에 벗겨내 대중 앞에 드러냈다는 점이다. 이후 윤미향·손혜원·김의겸·임종석·이인영·김두관·노회찬·추미애가 신분세습 자녀 교육, 부동산 투기, 부조리한 재산 형성·취업·병역, 공정성, 준법정신에서 좌파 정치인의 민낯을 명백히 드러냈다. 이들의 공헌(?)이 아니었다면 무지한 대중은 진보세력이 정말로 공정, 기회 균등, 정의에서 남다른 도덕 기준을 지키면서 살아간다고 착각했을 것이다.

보수 정치인과 수구기득권이라 불리는 구기득권층은 이 삼류 좌파들이 따르고 싶어 한 모범의 전형이니 더 언급할 가치도 없다. 최근 이재용의 삼성바이오로직 기소 사태를 놓고 철저히 침묵을 지키는 좌우 정치인·언론·학계의 현실은 한국 좌우 정치의 수준을 그대로 드러낸다. 문제는 좌우 정파 중 하나가 썩어 문드러지고 시대 변화를 자각하지 못할 경우 다른 한쪽이 이를 견제하면 그만이지만 둘 다 동시에 썩어 있어서 상호견제 역할조차 하지 못한다는 점이다.

가령 부동산 폭등으로 서민이 주거 위협을 받아도, 민노총 등 정치 노조 폐해로 경제가 붕괴되어 가도 이들 중 근본 해결책을 말하는 이는 없다.

이는 한국 사회의 수구기득권 네트워크를 구축하고 있는 재벌, 언론사, 학계, 정치인, 상류 자산가가 모두 한통속임을 여실히 보여 준다. 문재인 패거리는 최근 인국공 사태로 한국 사회의 불공정성을 놓고 청년들이 그토록 분노해도 아랑곳하지 않았다. 또 의대 증설, 공공의대 신설 등으로 의료계에 음서제도를 도입하려다가 전공의와 의대생의 파업 사태를 불러일으켰다.

겉으로는 이념적 목적에 따라 의료 사회주의, 즉 공공의사제도를 도입하기 위해 이런 무리수를 두는 척하지만 실상은 그렇지 않다. 다만 이들이 좌파 상층 기득권 사회에서 조국의 딸 조민처럼 능력이 되지 않는 자식을 고생고생해 가며 의사를 만들려고 애쓰기보다 아예 '음서제 의사'를 1년에 600명씩 대량 확보하는 것이 훨씬 쉽다는 자각을 했기 때문이다.

준비 없는 거리의 분노는 그만

지금 한국 사회는 대입 스펙, 전문가 자격시험, 병역, 취업 등 공정성을 우선시해야 할 모든 부분이 썩어가고 있다. 우선 전인교육, 기회 균등, 다양성, 수월성, 획일교육 반대 등의 명목으로 대입이 '학종·입학사정관·스펙·수시·특례입학'으로 점점 불투명·불공정해지고 있다. 의사, 변호사, 행시, 외시 같은 자격증 시험조차 음서제로 변질되고 있다.

솔직히 과거처럼 학력고사만으로 대학에 들어가고 사시, 외시, 행시, 의대 시험을 쳐서 판검사·5급 공무원·의사가 되는 것이 훨씬 더 공정한 제도다. 그래야 없는 집에 태어나도 열심히 공부하면 원하는 일을 할 수 있다는 희망이 생긴다. 조국은 서민의 자녀들에게 "붕어, 개구리, 가재에 만족하며 개천에서 잘 살라"고 했다. 이 말은 개천에서 용이 나는 시대가 끝났는데 아직도 너희는 개천에서 용이 나는 시대를 꿈꾸느냐는 뜻이다. 이 부분만 놓고 보면 조국은 문재인보다 상대적으로 정직하다. 많은 정치인과 상층 기득권은 여전히 노력하면 가능한 것처럼 사기를 치고 있지 않은가.

문재인은 취임사에서 노무현이 말한 출발선에서의 기회 균등, 과정의 공정함, 결과적 정의를 언급했다. 과연 조국과 노무현, 문재인 중 누가 더 솔직한 것일까? 차라리 양극화가 끝없이 심화해 10 대 90의 사회가 되었으니 90% 서민은 헛된 꿈 품지 말고 '붕어, 개구리, 가재'로 사는 것이 현실적이라고 멘토다운 충고를 하는 것이 아닐까? 사실 조국의 말 속에는 이 사회 좌우 상층 기득권이 90% 서민에게 하고픈 속뜻이 다 들어 있다.

조국 등 좌파 상층 기득권은 개천에서 용이 날 수 없으니 붕어, 가재, 개구리는 하늘을 쳐다보며 출혈경쟁을 하지 말고 따뜻한 개천을 만드는 데 힘을 쏟자고 한다. 그러면서도 서민이 강남의 수십

억 원 아파트를 쳐다보지 않고 변두리에서 따뜻하게 살도록 집 한
채 만들어 주는 일을 외면할까? 사실 조국의 '따뜻한 개천'은 사기이
고 기만이다. 방배동의 수십억 원짜리 아파트에 살면서 재산이 상층
1% 안에 드는 조국이 전월세로 신음하고 평생 내 집 마련이 꿈인 서
민과 집이 없어 연애·결혼·출산을 포기하는 청년 세대의 고민을 이
해하고 있을까?

좌파 정권들의 반복되는 수구기득권화

과거에 노무현 정권은 특권 없는 사회를 지향하며 업사이드다운
으로 상과 하가 뒤집힌 사회를 만들겠다고 했지만 두 차례 부동산 폭
등으로 사상 최대의 집값 상승을 불러왔다. 서민의 친구인 척하며 그
는 삼성과 친했고 삼성을 받드는 국정운영으로 좌파들조차 그 시대를
'삼성공화국'이라 불렀다. 나아가 노무현 정권은 혁신도시, 기업도시,
경제자유구역, 각종 클러스터, 행정복합도시를 만들고 전경련의 건
의를 받아들여 골프장을 2배 늘렸다. 토지 수용정책을 만들어 200조
원의 토지보상금까지 푸는 바람에 부동산이 폭등해 집 있는 자와 없
는 자의 간극을 죽어도 도달할 수 없는 거리로 벌려놓았다.

그의 후계자 문재인이 대선에 뛰어들었을 때 나는 그가 '삼성공
화국 2'를 만들며 노무현 식 부동산 폭등을 불러올 가능성이 크다고
여러 번 지적했다. 문재인은 정확히 노무현이 걸어간 길을 확대 재

생산해서 걸고 있다.

그와 대척점에 있는 야당은 어떠할까? 김종인이 이끄는 국민의 힘이 이 시대적 상황을 이해하고 서민의 삶을 개선할 가능성은 제로에 가깝다. 이들은 거짓으로라도 주거 문제 개선을 위한 새로운 정책을 말하지 않는다. 그저 질 좋은 주택의 양적 공급 확대, 용적률 규제 완화, 재개발·재건축 완화를 제시하고 있을 뿐이다. 지금 평당 3000만~4000만 원이나 하는 아파트를 공급해 봤자 서민 중 누가 그 집을 살 수 있겠는가? 결국 상층 부동산 투기꾼이 가지고 놀아날 투기·도박 물량만 늘리는 셈이다. 저들은 솔직히 보수가 아니라 기득권 이해결사체에 불과하다.

결국 여야 정치권이 합의해 서민 대중을 위한 전향적 정책을 알아서 시행할 가능성은 없다. 경제성장 시기에 대중은 보통 정치 문제에 관망하는 자세를 보인다. 대중은 대체로 모순과 질곡이 쌓이고 또 쌓여 곪아터지기 직전까지 침묵하며 순응한다. 또한 자기 삶이 경제 측면에서 구체적으로 위협받기 전에는 분노하지 않으며 정치를 대리 배설 욕구 창구로 악용한다. 그러나 자신과 자녀가 실직해 자기 집 안방에서부터 위기가 시작되면 그때는 분노를 산처럼 드러내며 기성 정치권에 혐오를 퍼붓는다.

박정희 정부의 집권기 막판에 2차 오일쇼크와 부가가치세 도입으로 경제가 힘들어지자 부마항쟁이나 10·26이 일어난 것도 마찬가지 이치다. 때로 너무 노골적으로 대중의 자존심을 건드리면 들고 일어나기도 한다. 1987년 6월 항쟁은 유연성을 상실한 전두환 정

5부 서포 15조의 탄생

219

권이 저항세력을 지나치게 강경일변도로 다루는 과정에서 자존심이 상한 국민이 폭발한 것으로 봐야 한다.

문재인 정권은 데모 전문 출신들이 중심인 좌파 정권이라 그런지 자신들이 국민의 자존심을 상하게 할 가능성은 없다고 자부하는 것 같다. 그래도 경제 문제가 너무 악화해 IMF나 금융위기 같은 상황이 벌어지면 대중이 들고 일어날까 걱정스러울 것이다.

문재인 정권은 현재 한국 보수가 자신들을 뒤엎을 가능성은 없다고 확신하는 듯하다. 안됐지만 한국 대중은 머지않아 자기 삶이 무너지는 시기를 경험할 것이다. 이때 대중은 문재인 정권에 전면 저항하겠지만 문제는 준비 없는 거리의 분노는 또다시 상층 여야 정치권의 거래로 본질적인 개혁 없이 흐지부지 끝날 가능성이 크다는 데 있다.

보수 야당이 서민혁명의
동반자가 될 수 없는 이유

'밑그림과 대강'이 없는 한국 보수의 당면과제

문재인 집권 이후 한국의 보수세력은 광화문과 시청 앞에서 권력을 탈취당한 분노를 3년 반이나 폭발해 왔다. 2019년 10월 거리의 태극기세력은 '10월 혁명', 즉 수십만 명을 광화문과 시청 앞에 결집하는 데 성공했으나 조국을 장관 자리에서 쫓아내는 데 그쳤다. 일부는 그게 어디냐고 말하지만 조국 자리는 산전수전 다 겪은 추미애가 꿰찼고 그녀는 검찰을 장악한 채 윤석열 주변을 해체하는 속도와 강도를 더 높였다.

국정 운영 소모품에 불과한 장관 하나를 쫓아낸 걸 대단한 일로 치부하는 일부 보수의 수준은 논외로 치자. 여하튼 한국 거리보수에게는 문재인에게 분노하는 수십만 명을 모아놓고도 그들이 지속적으로 모여 분노를 표출하도록 비전과 희망을 제시할 능력이 없다. 우선 '박근혜 전 대통령 석방, 문재인 퇴진'이라는 구호가 넘쳐나는 집회에서 그 구호를 실제로 달성할 힘도, 방법론도 없었다. 또 집회에 모여든 수십만 명의 대중이 그 구호를 공유하는지 검증하지도 않았다. 만약 2019년 10월 문재인이 쫓겨났다면 그 자리에 누가 대신 들어갔을까? 아마 황교안과 국민의힘일 것이다.

과연 대중의 목표는 2016년 12월 탄핵 이전으로 돌아가는 것이었나? 박근혜 정부 시절에는 서민 대중이 행복했던가? 물론 문재인 시대보다 나았을지 모르지만 그 시대로 돌아가는 것이 정답은 아니다. 한국 보수가 직면한 가장 큰 당면과제는 제시할 수 있는 사회의 '밑그림과 대강'이 없다는 점이다. 만약 이명박과 박근혜 정부 시절로 돌아가는 것이 광화문에 모인 사람들의 최종 목적이었다면 수십만 명을 모으지도 못했을 것이다.

한국 보수 정치인과 보수정당은 보수의 미래를 두고 밑그림과 이미지를 그릴 능력조차 없다. 황교안이 전경련 앞잡이 교수와 연구원 수십 명을 모아 몇 달 동안 연구해서 만든 그의 경제공약 민부론이 '도착 시 이미 사망DOA'한 사실은 한국 보수 지식인이나 정치인의 수준이 얼마나 허접한지 여실히 보여 준다.

현재 국민의힘과 보수 대선후보는 문재인 정부 실정의 반대급부를 일정 정도 얻겠지만 현 수준으로는 두 번 다시 대안 집권세력이 될 수 없다. 문재인 파멸이 보수 야당의 승리로 직결되지 못한다는 얘기다. 결국 자신감을 상실한 보수세력은 이원집정부제 개헌 합의로 문재인에게 퇴로를 열어 주고 권력 분점에 합의할 확률이 높다.

한국 보수 정치를 두고 웰빙, 보신주의, 기회주의 등 여러 비판이 있지만 가장 중요한 문제는 이들이 정치할 수준을 갖추지 못한 기득권의 브로커들이거나 기득권이 직접 자신의 이익을 위해 뛰어든 세력이라는 데 있다. 그들의 직업은 검사·판사·변호사 같은 법조인, 고위관료, 관변 연구소 연구원, 보수언론인, 장성, 기업인, 의사 등 전문직업인 출신이 대부분이다. 가끔 보좌관·각료 출신과 지자체장, 지자체 의원 출신도 보인다. 그런데 지자체나 각료 출신도 보고 들은 게 빤해서 그 밥에 그 나물이다. 약간의 옛 운동권 출신 역시 민주당 주사파 386 출신들에게 밀려 YS 때나 MB 때 넘어온 자들이라 기회주의적 처신에 능할 뿐이다.

서민 대중의 삶에 관심을 기울이는 척만 하는

21대 국회 국민의힘 의원들의 평균 재산은 49억 1700만 원이다. 공시지가로 부동산을 신고하는 점을 감안하면 실제 평균 재산은 70억 원이 넘는다. 21대 국회의원들이 보유한 부동산 평균 재산은 13억 5000만 원으로 실제 시세로는 20억 원이다. 이처럼 실제 서민보다 10배 이상 부자인 고액부자들이 보수 야당의원이니 서민의 이해관계와 동떨어질 수밖에 없다. 사람은 경제적 이해관계에 기반을 둔 계급적 이해관계가 의식을 지배한다. 따라서 국민의힘 의원들이 주거 문제, 로스쿨, 의전원, 공공의대, 의대증설, 교육·취업·병역·입학의 공정성, 규제 완화, 주가 조작, 기업 인수합병, 부패, 외국인 노동자를 바라보는 시각은 서민의 이해관계와 다를 수밖에 없다. 또한 이들은 매우 짭짤한 직업이자 기득권 대리인으로서 국회의원이 된 것이므로 선거 때 표만 얻으면 그만일 뿐 이해관계가 다른 서민 대중의 삶에 관심을 기울일 이유가 없다. 그들이 그저 관심을 기울이는 척만 하는 이유가 여기에 있다.

총선 승리 후 국회를 독식한 문재인 정권이 마음대로 법을 통과시키고, 돈을 뿌려대고, 검찰·판사·경찰·감사원·금감원·금감위를 장악하기 위해 온갖 전횡을 휘둘러도 보수 야당이 조용히 지켜보는 것도 그들이 무리수를 둘 이유가 없기 때문이다. 사정이 이러하기에 보수 야당은 선거 때만 적당히 짜깁기해서 서민을 위하는 척 쇼만 할 뿐 굳이 같은 이해관계자인 재벌과 건설사를 불쾌하게 만들고 보수언론이 싫어하는 국가적 주택공급 같은 일을 애써 하려고 하지 않는다.

서민들의 미래는
서민 스스로 개척해야 한다

서민의 삶은 서민이 나서야

여야 기성 정치판이 서민의 삶을 위해 개혁적인 정책을 자진해서 만들 이유는 전혀 없다. 한국 좌파는 그저 기회균등, 공정, 정의를 말하고 새정치나 창조경제만큼 모호한 촛불혁명만 읊어대면 된다. 그들은 양극화나 1 대 9 사회를 고민하지 않는다. 그냥 집권을 위해 거짓을 말하고 표가 많은 서민을 위하는 척하다가 집권에 성공하면 기득권층과 결탁해 국가의 자리와 재산을 털어먹을 뿐이다.

노무현 정권은 말로는 서민과 친했지만 실제로는 삼성과 친했고 전경련이나 다른 재벌, 부동산과도 친했다. 노무현은 대통령이 되고서도 주변 기업인들과 가까운 이해관계를 주고받았다(박연차나 강금원 회장과의 관계를 보라). 노무현 정권의 실패를 9년 동안 와신상담했다고 알려진 문재인 역시 내가 볼 때는 옛날에 즐기던 그 짭짤함을 되찾을 날만 학수고대한 것 같다. 정의당 같은 이념 정당도 서민의 삶을 우려먹을 뿐 위하지 않는다. 그들은 차라리 동성애나 여권운동, 외국인 노동자 등 '소수자' 문제에 더 집착하는 것 같다. 노회찬의 죽음은 그나마 정의당의 기존 면모에 종지부를 찍었다고 볼 수 있다.

결국 서민의 삶을 개선하려면 서민이 나서는 수밖에 없다. 그런데 안타깝게도 당사자인 서민들은 지역감정이나 좌우 이념정파가 조장한 허상의 이념에 놀아나며 마치 좌우 정파의 홍위병처럼 대리전을 치르고 있다. 왜 서민들은 좌우 수구기득권의 꼭두각시가 되어 그들을 위한 도구로 전락하고 있는가? 극단적 양극화와 1 대 9 사회에서 붕어, 가재, 개구리가 개천에서라도 따뜻하게 살아가는 방법은 그들 스스로 정치 주역으로 나서는 방법뿐이다.

같은 가치를 공유하는 다수의 서민이 만드는
가치정당으로 더 나은 사회를

한국의 정당은 철저히 봉건 브로커 정치 구조로 이뤄져 있다. 정당의 끄나풀 노릇을 하는 서민들이 지역 중심당원과 지역구 간부를 구성하고 그중 소수는 지자체 의원과 단체장, 의원 비서로 일한다. 이들이 중심에 서서 지역 토호들을 이해관계로 포섭한 뒤 서로 주고받으며 국회의원이 되는 구조다. 이들은 자기들끼리의 이해관계 이너서클이기에 보편적 서민의 이해관계에는 무관심하다. 진정한 서민들이 자발적으로 정치 주역으로 등장해 그들 자신을 위해 노력한 사례는 없었다. 몇 차례 좌파 지식인과 우파 아스팔트 선동가가 소수정당을 만들기도 했지만 대중성과 거리가 먼 선거용 1회성 정당이었다.

이제 우파는 사상 처음 비슷한 생각 아래 같은 가치를 공유하는 다수의 서민이 가치정당을 만들려 하고 있다. '앵그리블루' 정당에 관심이 있는 사람은 대부분 서민이다. 물론 기득권에 속하는 사람도 있지만 그들은 우리 사회를 개혁하지 않으면 안 된다고 생각하는 쪽이다.

앵그리블루는 5년 5개월 동안 쉼 없이 1만여 개 콘텐츠를 방송해 온 뉴스브리핑의 애청자들이다. 황장수의 말을 마음에 들어 하지 않는 사람들도 처음에는 좌파들과 문재인을 깐다고 좋아했지만 보수의 잘못도 비판하자 다 떨어져나갔다. 나는 2019년 6월 말 앵그리블루 집회에서 처음 '서포 15조'를 발표했다. 처음에는 모두 어리둥절해했지만 이제는 많은 사람이 이 가치야말로 서민의 삶을 개선해 줄 방안이라는 데 공감하고 있다.

나는 2020년 4월 15일 대선을 앞두고 기성 정치권에 서포 15조를 수용하라고 수차례 건의했다. 하지만 이들은 철저히 서포 15조를 깔아뭉갰고 외면했다. 내 생각으론 지금뿐 아니라 앞으로도 기성 정치권 어디에도 서포 15조를 수용할 정당은 없다고 본다. 그들은 이를 수용하는 즉시 수구기득권이 극렬 반대할 것임을 본능적으로 알고 있다. 이제 서민 대중 스스로 당을 만들어야 할 때다. 물론 서민 모두가 이익을 보는 문제에 왜 내가 굳이 나서야 하는지 의문을 제기하는 이들도 있을 것이다. 만약 인류 역사에서 모두가 이런 이기심을 보였다면 인류는 절대 한 발도 앞으로 나아가지 못했을 것이다.

자기가 걷는 길을 향한 믿음이 새로운 혁명을 이뤄낸다

18세기부터 19세기에 걸쳐 영국에서 노예해방을 실현한 윌리엄 윌버포스William Wilberforce(1759~1833)는 부유한 상인 출신 귀족가문의 외동아들로 태어나 어려서 아버지와 큰아버지의 막대한 유산을 상속받았다. 그는 한때 유흥에 빠져 방탕한 생활을 했으나 이를 뉘우치고 묵상과 청빈한 생활로 돌아와 더 나은 사회를 만들기로 결심했다. 당시 그는 세계 최대 무역국가인 영국의 노예제도와 노예들의 참상에 분노했다. 이후 노예폐지 법안을 국회에 열한 번이나 제출한 그는 무시와 협박, 모욕을 숱하게 겪으면서 몸이 병 들었고 재산도 남을 돕는 데 모두 써버렸다.

그가 그렇게 20여 년간 노예폐지 운동을 벌인 끝에 마침내 1806년 선거에서 노예무역 폐지파가 압승하면서 1807년 2월 23일 노예무역 폐지안이 의회를 통과했다. 이후 건강 악화로 의원직을 사퇴한 그는 노예해방을 위한 국내외 운동을 펼쳤고 결국 1833년 7월 26일 영국은 노예해방을 선언했다. 그리고 3일 후 그는 병상에서 눈을 감았다.

윌버포스의 예가 보여 주듯 세상의 변화는 뜻 있는 소수로부터 시작된다. 자기가 하고 있는 일에 보이는 신념, 자기가 걷는 길을 향한 믿음이 새로운 혁명을 이뤄내는 법이다. 서민에게 반드시 필요한 사회 변화를 이뤄내기 위한 서포 15조 달성은 서민 스스로 실현해야 한다. 누구도 이를 대신 해 주지 않는다. 우리 모두 또 하나의 윌버포스가 되어 새로운 정당을 기반으로 스스로 서포 15조를 달성해야 한다.

서포 15조가
원하는 세상

거기서 거기로 정해져 있는 미래에서

서포 15조는 장기 저성장, 기술 발달에 따른 대량실업, 코로나 19로 인한 경제 붕괴 시대에 서민 대중이 살아갈 미래를 설계한 공존의 논리다. 현재 같은 좌우 정치권 논리로는 대한민국 사회를 유지하는 것이 불가능하다. 갈수록 양극화가 더욱 심화해 결국 소수만 살아남고 다수 서민의 삶은 파괴될 수밖에 없다. 부동산 폭등, 실업 보편화, 자영업자·중소기업 몰락, 세계 최고 수준의 저출산과 고령화, 지방 소멸, 극단적인 양극화, 자살률 세계 1위를 달리는 사회가 어떻게 유지될 수 있겠는가. 이러한 사회의 귀결점은 망하거나 폭동이 일어나거나 둘 중 하나다. 솔직히 북한보다 한국이 먼저 망할지라도 놀랍지 않을 정도다.

실제로 국민의 절반이 무주택자이고 1인가구가 갈수록 늘어나는 시대에 열악한 환경에서 비싼 월세를 내며 살아가는 청년이 부지

기수다. N포세대로 불리는 그들은 연애, 결혼, 출산, 내 집 마련에서 어떠한 희망도 품지 못하고 있다. 또 65세 이상 노인층의 빈곤율이 50%에 달해 평생 열심히 일한 노인들이 가난 속에서 죽을 날만 기다리거나 요양병원에서 '현대판 고려장'을 당하고 있다.

요행히 가정을 이뤄도 내 집 마련이라는 목표를 이루기 위해 빚더미 속에서 팍팍하게 살아가야 한다. 자녀의 행복을 위한다는 명목 아래 사교육의 노예가 되어 부모와 자녀의 삶 모두가 무너져가고 있다. 경쟁에서 뒤처진 다수의 청년은 루저로 찍혀 사회에서 소외되고 노인과 청년 다수가 자살로 삶을 마무리하고 있다.

사람들이 인생에서 소비하는 주요 상품 가격은 힘이 센 공급자들의 담합 속에 일방적으로 결정되고 월급은 받자마자 대부분 통신비, 보험료, 기름값, 공산품 값으로 나가버린다. 국민의 소득수준에 비해 한국의 물가가 정상적이라 볼 수 있는가?

지역과 사회 공동체는 파괴되고 타락한 삶에서 구원받으려 종교를 선택하지만 이 또한 새로운 갈등의 시작으로 이어진다. 우리는 도대체 무엇을 위해 이처럼 '허공에서 질주하는' 삶을 살아가고 있는가?

국가의 존립 목적은 그 구성원인 다수 국민의 삶이 좀 더 행복해지도록 만드는 데 있다. 그렇다면 모든 국가의 정책, 법, 제도는 국민의 행복을 향해 나아가야 하고 공직자와 정치인도 그 목표 아래 움직여야 한다. 과연 우리의 국가·법·제도와 정치인, 공직자는 그렇게 하고 있는가? 우리는 많은 세금을 내고 국민의 의무를 다하고자 군복무도 한다. 국민의 의무에는 강제력이 있고 국민은 법률의 통제를 받으며 살아간다. 알고 있다시피 우리는 투표로 우리를 대신해서 일할 대통령, 국회의원, 지자체장, 지자체 의원, 교육감 등을 선출한다. 분명 그들은 국민의 대리인이다. 그렇다면 우리는 정말로 이 민주주의 사회의 주인인가, 아니면 노예인가? 죽도록 일하고 세금을 갖다 바치고 병역을 치르는 우리는 제대로 주인 행세를 하고 있는가?

유감스럽게도 대다수 서민의 미래는 '거기서 거기'로 정해져 있다. 개구리, 가재, 붕어의 자녀는 또다시 개구리, 가재, 붕어가 되어 별로 나아질 것 없는 삶을 내 집 마련에 저당 잡힌 채 자식 교육을 위해 죽어라 일하다 병들어 요양병원에서 죽어갈 것이다. 이것마저 선택받은 개구리·가재·붕어의 특권에 불과하고 많은 개구리·가재·붕어는 그조차 누리지 못한 채 오피스텔, 옥탑방, 고시원에서 홀로 월세로 살다 삶을 마감하고 만다.

누가 이런 삶을 목표로 삼고 싶겠는가. 그럼에도 불구하고 최소한의 사람다운 삶을 살도록 더 나은 사회를 만들기 위해 노력하는 우리의 '대리인'은 어디에도 없다. 그들은 이념과 지역을 팔아 대리인이 된 다음 '우리'마저 팔아치우고 스스로 기득권층이 되어간다. 그들이 마음을 고쳐먹고 우리를 위해 일할 가능성은 동아줄이 바늘구멍을 통과하는 것보다 더 희박하다. 어떤 정치인도 서민 대중에게 표만 원할 뿐 서민의 삶을 개선하려 하지 않는다. 서민의 삶이 개선된다는 것은 집값과 상품가격 하락, 음서제 타파, 공정하고 평등한 입시와 취업 기회, 양극화 해소를 이루는 것을 말한다. 과연 이 사회 상층 기득권들이 그런 정의로운 세상을 원하겠는가? 오히려 그들은 불의로 가득한 세상을 원한다!

서민 대중이 살아갈 공존의 논리로

기득권의 대리인인 언론, 대학 같은 지식층은 우리에게 정의를 가르치는 척하지만 그들의 정의는 기득권을 위협하지 않는 개구리·가재·붕어 내부의 질서유지를 의미한다. 진정으로 정의로운 세상은 그들이 만들어 주는 것이 아니라 서민 대중 스스로 실현해야 한다. 서포 15조의 목표는 다수 서민이 행복해지는 세상을 우리의 힘으로 만들어가는 데 있다.

서포 15조 관철을 위해
꼭 필요한 것들

필요한 사전 합의

서포 15조의 목표는 국민 중 80%가 넘는 서민의 삶을 개선하는 정책을 현실에서 실현하는 세상을 만드는 데 있다. 이런 세상을 만들기 위한 구성원 사이에는 세상을 바라보는 시각에서 몇 가지 사전 합의가 필요하다.

첫째, 이제 '성장'은 불가능한 시대다

많은 정치인이 성장을 말하지만 지금은 성장이 불가능한 시대다. 문재인이 3분기 기적 같은 반등을 말해도, 황교안이 민부론으로 5만 달러 성장을 말해도 이제는 누구도 믿지 않는다. 코로나19는 무너져 가던 세계의 경제성장률에 치명타를 가해 신자유주의, 글로벌리즘의 종말을 불러왔다. 이제는 저성장 시대를 인정하고 그 속에서 공존하며 살아갈 방식을 고민해야 한다. 성장을 말하는 정치인은 사기꾼이다.

둘째, 사회 전 분야에서 이념을 탈색해야 한다

과거 한국 사회는 이념 과잉 시대였다. 정치 현장뿐 아니라 노동, 교육, 역사, 문화 등 사회 전반에서 이념 대립과 충돌이 없는 분야가 없었다. 심지어 좌·우 이념 대립이 권력을 잡고 국가예산과 인적 역량을 장악하는 수단으로 전락해 버렸다. 좌·우 기득권층 모두 이념 대립을 자신들의 영속적인 권력을 장악하기 위한 수단으로 이용하는 한편, 대중 역시 이념 분열을 혐오하고 규탄하기보다 자신을 이념의 양축 중 하나에 투영해 심리적·사회적 안정감과 보호막으로 삼는 현상에 익숙해졌다. 이런 좌우 대립은 결국 다수 서민을 위한 근본 사회개혁 정책을 가로막는다. 따라서 서포 15조를 실현하려면 좌우 이념 대립이 좌우 기득권층의 먹고살기 위한 생계적 방편임을 인식해야 한다. 서포 15조를 이루고 관철하기 위해서는 좌우 이념 대립을 넘어 '서민 생활의 실질적인 질 향상' 그 자체에 주목해야 한다.

셋째, 서포 15조는 '불가능'이라는 우리 자신의 좌절을 극복해야 한다

기득권층은 대중에게 승리하는 방법보다 패배에 익숙해지는 습관을 가르쳐 왔다. 가령 '국가적 주택공급'을 언급하면 그것을 실현할 수 있겠느냐고 우려한다. 오늘날 인천의 강화나 경기도 화성에만 가도 민간 아파트를 평당 700만 원에 공급하고 있다. 특히 공공기관의 부지 3분의 1을 유류지로 방치하고 있는 실정이다. 민노총 해체

를 말하면 민노총을 해체할 수 있겠는가, 누가 그것을 하겠는가, 또는 노조를 해체한다고 외국에 나간 기업들이 한국으로 돌아오겠는가, 하고 의문을 보인다. 그러면 지금까지 전경련이나 조중동이 수십 년 언급해 온 "강성노조 때문에 기업들이 외국으로 탈출한다"는 전제가 다 거짓이라는 말인가? 모든 싸움은 처음에는 불가능한 벽처럼 느껴진다. 그러나 싸움의 목표를 다수가 자연스럽게 언급하고, 집회 슬로건으로 내걸어, 정당 강령으로 내세우기 시작하면 어느 순간 우리 앞에 실천 가능한 것으로 다가온다. 인류가 가능한 부분만 실천했다면 어떻게 달에 갈 수 있었겠는가.

넷째, 서포 15조가 말하는 정치는 정치인에게 위탁하는 정치가 아니라 모두가 '주인'이 되는 정치다

한마디로 현대 대의민주주의가 방향을 상실한 지금, 진정한 주권자가 누구인지 명확히 밝히는 운동이다. 제대로 된 서민을 위한 정치는 정치인에게만 맡겨 둘 것이 아니라 모든 국민이 정치에 직접 나서서 자기 일처럼 싸워야 이뤄진다. 서민이 정치를 방치하고 있는데 브로커에 불과한 정치인이 무엇 때문에 기득권층이 아닌 서민을 위해 노력하겠는가. 이제 브로커 집단이 되어버린 정치인과 정당을 걷어차 버리고 서민들이 대신 정치의 주역으로 나서야 한다.

다섯째, 서포 15조는 현금 살포나 쿠폰, 상품권 등 공짜를 거부한다

우선 기득권층이 만들어 낸 사회 모든 곳의 부패 담합 구조를 타파해 거품을 빼야 한다. 동시에 부패 담합비용과 정치인, 언론인, 공무원 등 브로커들이 과도한 수익으로 주머니를 채우는 것을 막는 한편 예산과 국가가용 자원을 총동원해 다수 서민을 위한 정책 가성비를 높여야 한다. 한국은 여전히 부패 담합 구조의 소굴이고, 이 상층 부패 커넥션이 국민의 돈과 혈세를 엄청나게 빨아들이고 있다. 이 낭비를 막으려면 사회적 합의에 따라 과감한 개혁을 시행해야 한다. 현금 살포도 결국 매표를 위한 부패 행위이다.

여섯째, 서포 15조는 부패 사회에서 결코 실행할 수 없는 목표다

공직자, 정치인, 사법기구, 언론인, 교수, 연구원이 부패하면 절대 이룰 수 없는 일들이다. 이에 따라 서포 15조는 청와대 폐지, 공직자 부패 원아웃제, 교육감과 지자체 선거 폐지, 잘못된 정책입안자 무한 배상제도, 정무직 공무원 중위소득 임금 등을 제시하고 있다. 가장 중요한 것은 뇌물을 받은 정치인과 공무원은 액수를 막론하고 두 번 다시 그런 행위를 못하도록 엄벌에 처해야 한다는 점이다. 싱가포르 리콴유李光耀 전 총리 수준의 강한 부패척결 없이는 우리나라는 절대로 선진국 문턱에 갈 수 없다. 역대 대통령들의 행태가 이를 잘 설명하고 있다.

일곱째, 서포 15조를 실현하기 위해 서민들이 직접 나서서 정당을 창당하고 당원이 되어 당을 운영하는 것은 우리나라에서 유

일하게 진정한 가치정책 정당을 만든다는 것을 의미한다

그간 기득권 정당, 이념정당, 지역정당은 무수히 많았지만 이들은 말만 번드르르할 뿐 서민의 삶을 개선하는 일에는 무관심했다. 더불어민주당은 '저들끼리만 가고', 국민의힘당은 '국민의 짐'이 되고, 정의당에는 정의가 없고, 국민의당에는 국민이 없다. 역사상 특정 이념 없이 오직 '서민의 삶 개선'만 기치로 내걸고 서민 스스로 창당 주역이 되어 꾸려가는 정당을 본 적이 있는가? 이념이라는 허울 속에 수많은 서민들의 삶이 무너지고 방치되어 온 역사적 경험을 고려할 때 우리의 첫걸음은 전인미답의 길을 열어가는 셈이다.

마지막으로 서포 15조는 모든 비효율과 낭비를 배제하는 정치운동을 요구한다

서포 15조의 강령이 오직 서민들의 삶을 개선하기 위한 가성비를 추구하는 마당에 이를 실현하기 위한 수단에 불과한 정당에 거품이 끼어 있고 논란이나 내분으로 허송세월할 이유가 있겠는가. 그러니 애초에 여기에 동의하는 사람만 당원이 되고, 당의 목적은 서포 15조 관철 외에 특정인의 개인적 성공이나 영광을 배제하는 정당운동에 두어야 한다.

혁명은 항상 그 핵심 구성원이 배반해 왔음도 결코 잊어서는 안 된다.

포퓰리즘 시대: 미국과 한국의 버려진 계층, 그리고 서포 15조

"이번에도 트럼프를!"

미국에서 코로나19로 이미 맛이 가버린 것처럼 보이던 도널드 트럼프가 대선 구도를 다시 예측 불허로 몰아넣고 있다. 그 배경에는 엘리트 먹물 정치인의 가식과 위선에 질려버린 미국의 버려진 계층에게 "이번에도 트럼프를!"이란 구호가 먹혀들고 있기 때문이다. 미국에서 교육 수준이 높지 않은 중장년 백인노동자 계층은 워싱턴 정치권, 뉴욕 금융자본가와 결탁한 기술관료, 엘리트 계층이 그들의 일자리를 빼앗고, 흑인과 히스패닉을 위한 '정치적 올바름'을 외치며 자신들을 버렸다고 생각한다. 이들은 백인 프로테스탄트 중심의 미국 사회가 이민 대량 유입으로 다문화 사회가 되어가는 것을 원하지 않는다.

미국 백인의 54% 이상이 트럼프를 지지하는데 그중 최종학력이 고졸 이하인 유권자 64%가 트럼프를 택했고, 인종과 학력을 불문하

고 50대 이상 51%가 트럼프를 지지한다고 한다(퓨리서치센터 7월 27일
~8월 2일). 트럼프 지지율은 도시보다 시골에서 압도적으로 높다. 결
국 트럼프 핵심 지지층은 시골에 거주하며 교육 수준이 높지 않은
중장년 백인노동자 계층으로 압축할 수 있다. 트럼프를 놓고 벌어지
는 찬반 갈등은 우파 정치평론가 마이클 린드가 그의 책《신 계급전
쟁》에서 말한 것처럼 백인노동자 계급과 신자유주의 특권층의 대결
로 가고 있다.

　백인노동자들은 1980년대 들어 대학에서 쏟아진 기술관료
Technocrat, 즉 전문 지식을 갖춘 행정 관료와 엘리트가 자신들의 일자
리를 빼앗았다고 비판한다. 신자유주의로 무장한 상층 특권층이 자
신들의 이익을 위해 백인문화를 하위문화로 폄하하고 다문화를 강
요하며 백인노동자에게 '혐오' 낙인을 찍어 극우라고 비판한다는 주
장이다. 더구나 미국 경제발전이 동서부 대도시를 중심으로 이뤄지
면서 시골의 백인들은 도시 엘리트와 흑인, 히스패닉, 아시안에게
일자리를 빼앗겨 자신들의 삶이 추락하고 있다고 본다.

　이들 백인노동자 계층이 트럼프를 지지하는 이유는 미국에서 정
치적 올바름이라는 미명 하에 금기시하는 말과 행동을 서슴없이 하
는 트럼프가 워싱턴 정가와 부패언론 전부를 대상으로 자신들을 위
해 싸우고 있다고 보기 때문이다.

　미국을 계속 위대하게!Keep America Great!

트럼프가 외치는 이 구호를 '신이 보낸 선물로 생각한다'고 말하는 지지자들도 있다. 또한 트럼프를 지지하지만 겉으로 이를 감추는 사람이 국민의 3% 정도라고 한다.

미국 백인노동자 계층이 2016년에 이어 2020년 대선에서 다시 트럼프에게 보내는 지지는 맹목적이다. 그들은 트럼프의 사생활, 공직 관념 미비, 말실수와 유치한 행동, 부패에 전혀 신경 쓰지 않는다. 왜냐하면 그들은 포퓰리즘을 선호하고 미국 역사상 본격적인 포퓰리즘 정치인은 트럼프가 처음이기 때문이다. '앵그리블루 운동과 서포 15조'도 포퓰리즘 운동을 분명히 지향한다. 포퓰리즘은 앞서도 여러 번 말했지만 결코 나쁜 것이 아니다. 기성 대의민주주의 정치가 대중의 요구에서 너무 멀리 가버렸기에 대중은 포퓰리즘 운동으로 잃어버린 자신들의 권리를 되찾아 오고자 한다.

가짜 시대는 막을 내리고

한국에서 어느 정당 정치인이 진정으로 대중의 요구를 정치에 반영하기 위해 노력했는가? 일부 정치인은 입만 열면 국가의 돈을 퍼주겠다고 앵무새처럼 외치지만 그는 포퓰리즘 정치인이 아니라 포퓰리즘이 무엇인지 그 실체조차 제대로 알지 못하는 정치 브로커에 불과하다. 앞으로 10년 후면 전 세계가 포퓰리즘 정치로 넘어갈 테고 세계 경제 불황과 코로나19가 부른 폐쇄경제가 서로 역시너지 효과를 낳아 그런 경향을 더욱더 부추길 것이다. 기성 정치권이 국민의 생존 요구를 외면한 채 자신들의 잇속을 채우기에 급급하다 보니 서민 대중이 스스로 그들의 대리인을 해고하고 직접 정치에 나서는 포퓰리즘 시대가 열린 셈이다. 서포 15조는 가짜 포퓰리즘을 배격하고 정통 포퓰리즘을 실천하기 위한 강령이다. 가짜 시대는 막을 내렸다.

서포 15조 시대는
어떤 사회일까?

뉴 패러다임, 서포 15조 가치가 실현되는 시대

서포 15조는 지금 같은 마이너스 성장, 저출산, 고령화, 지방 소멸 그리고 극심한 양극화 시대에 저비용·고효율로 가성비 높게 살아가는 삶의 양식을 지향한다. 내 집 마련과 사교육을 위해 소득의 상당 부분을 저당 잡히고 인생을 소모하며 여가와 삶의 의미를 희생하는 삶은 여기에서 끝내야 한다.

이는 국민 대다수가 적은 소득으로도 살아갈 수 있도록 주택비용, 사교육비, 주요 보험료, 통신비, 기름값, 차량비, 공산품 가격을 낮추는 데 국가의 역량을 집중해야 한다는 것을 의미한다. 쓸데없는 토건과 낭비·부패 예산 운영을 차단하고 도박, 마약, 외화반출 같은 지하경제를 철저히 색출해 이들 예산을 전부 생산적인 고용창출에 투입해야 한다. 무엇보다 전 세계 차원의 경제 붕괴 상황이라 국가적 고용창출이 중요한데 이는 정규학교 내 사교육 흡수, 노인 요양 분야 확대, 국가적 주택공급 등으로 이뤄져야 한다. 문재인 정부의 한국형 뉴딜, 소위 디지털 뉴딜이나 그린 뉴딜 같은 가짜 일자리 창출 방식으로는 190조 원이 아니라 1900조 원을 투입해도 일자리를 창출할 수는 없다.

젊은 부부 둘이 한국에서 400만 원을 벌어도 내 집에서 자식들을 제대로 교육시키고 적은 지출로 살아갈 수 있도록 만들어야 한다. 이를 위해서는 모든 부패 낭비·구조와 기득권층 개입을 철저히 차단할 필요가 있다. 나아가 사회 이념, 낭비적 철밥통 등 걸림돌을 일소하고 오직 서민 대중을 위한 가성비 높은 사회를 이룩해야 한다.

국민 대다수가 서민인 사회에서 서민을 위해 과감하게 사회개혁을 하는 일에 무슨 불가능이나 두려움이 있겠는가. 지금부터라도 우리는 구시대 패러다임, 우리 시대를 지배하는 잘못된 사회적 견해와 가치를 일소하고 새로운 시대를 위한 뉴 패러다임, 즉 '서포 15조의 가치'를 실현하기 위해 노력해야 한다.

최초의 서포 15조 선언
조항과 해설

서포 15조

01. 중산층, 서민, 청년층에게 평당 700만 원 이하의 싱가포르 식 국가적 주택공급.

02. 대입 학력고사 부활, 내신 폐지, 사법시험 부활과 로스쿨 폐지, 공교육 내에 사교육 흡수, 방과 후 교사 20만 명 채용, 의전원 폐지.

03. 민노총 등 상급 정치노조 해체·국민투표 회부·정치개입 금지, 정규직과 비정규직의 동일노동·동일임금.

04. 외국인 노동자와 난민 수용 반대, 외국인과 그 재산 국내 전산등록제 실시, 특별자치도 폐지와 특례 폐지.

05. 실용적 평생교육 체계 개편, 교원 정치활동·언급 금지, 교육감 선거

제도 폐지, 일하는 여성의 국가적 보육체계 확립.

06. 타다 택시, 카카오 카풀, 배달앱, 포털 부동산 등 혁신과 4차 미래혁
　　신산업을 빙자한 앱·플랫폼형 서민 일자리 탈취 금지.

07. 제조업의 국내 복귀 국가적 적극 지원(노조 해체와 토지 제공, 법인세
　　와 상속세 인하).

08. 지방자치제 폐지와 명예봉사직화, 세금 낭비 정치인·관료 재산 몰수,
　　정책실명제.

09. 국가적 노인요양체계 도입, 요양지원 요원 10만 명 채용, 문재인 케
　　어와 원격의료 반대.

10. 전국적 공시임대료 도입과 보유세 부과 연계.

11. 국회의원, 장관, 대통령 '중위소득 월급'·특혜 폐지, 부패 정치인 원아
　　웃제 실시.

12. 주요 생활 독과점 품목 가격담합·주가조작과 내부정보 이용·기업인
　　수 사기·취업비리 엄중 가중 처벌, 사모펀드 금지.

13. 반중친미, 한미일 삼각안보 구축, MD 참가, 전작권 전환 반대와 국민 투표 회부.

14. 김정은 체제하 통일 반대, 가짜 비핵화 사기 중단, 군사회담 판문점선언 무효, 대북 뒷거래 시효 없는 사법 처리·국민투표 회부, 세컨더리 보이콧 즉각 실행, 대북 식량과 각종 지원 반대.

15. 선별적·효율적 복지 추진, 복지부패 척결, 판·검사·관료·정치인 관여 척결, 청와대·국정원·통일부·평통·적십자·자유총연맹·여가부 해체, 불필요한 공공기관 폐지.

서포 15조 해설

01. 최고의 주택설계 디자인, 건축시공, 토지 기술자들로 주택청 신설 / 소득 하위 80% 국민 국가 주택 프로그램 참여 가능, 최하위 20% 영구임대주택, 나머지 60% 전매불가 반납 가능, 국가공급 주택 소득별로 다양한 평수 할당, 인테리어는 최소 시공으로 제공 / 주택가 20%로 입주, 1%대 이율로 30년 이상 모기지 대출 / 평당 700만 원 이하로 전매 불가, 평생거주권, 사망·이사 시 반납, 1가구당 2회 신청 가능, 정산하고 감가상각 후 잔액 환불, 수도권부터 우선 시행 / 국가보유 건물-토지의 용적률·건폐율 완화, 고층 아파트 건립 / 매년 예산에 국민주택기금 확충·적립, 민간 아파트에 특별세 부과, 국민연금 연계.

02. 대입 학력고사 부활, 고교 때 3회 실시 / 평균으로 대학-학과 선택, 내신·학종·봉사·특례 모두 폐지 / 공기업·공무원 정규직화 폐지하고 국가공시제도로 엄격 관리, 사법시험 등 주요 고시 부활, 특채 엄격 제한 / 공교육 시설 활용해 사교육 학교 내 흡수, 방과 후 교사 초중고에 배치, 나급 계약직 교사 20만 명 과목별 임용고시 후 20만 명 채용, 성적별로 전국 10,000개 학교에 배치, 이후 3년 실적 평가로 상위 5% 정규직 교사 발령, 수업료는 소득에 따라 차등해 주민자치센터에서 쿠폰으로 발송.

03. 차기 대선에 노조개혁 개헌 공약 / 집권 후 6개월 내 노조개혁 개헌 국민투표 회부, 부결 시 퇴진 / 민노총, 한국노총 등 중앙·산별 상급 정치 노조 불허와 해산, 사별 노동자 권익 노조만 허용, 노조 불허·해체 공작 기업오너 사법 처리 / 노조 정치참여 일체 금지 / 동일, 지역-기업 내 동일직종 정규직-비정규직 임금 차별 금지 동일임금 실시.

04. 외국인 노동자 연수제도 폐지, 불법 체류 추방, 원칙적 외국인 고용 금지와 국내 노동자 대체, 대체기업·농수산업에 국가 일자리 지원금 / 선별적 귀화 허가한 외국인·조선족·고려인에 한해 취업 허용, 외국인 취업-거류 신고제와 재산등록제 실시 / 특별자치도 폐지와 투자 특혜 폐지.

05. 중학교 때 대학 혹은 직업교육 선택, 실업계 고교-전문대 연계 5년제 혁신 / 지역산학연계 교육 시스템 도입 / 대학정원 50% 감축, 평생교육·직업훈련기관 혹은 전문대로 변경 / 교원 정치활동과 학교 내 정치 발언 금지·형사처벌, 교육감과 교육위원 선거 폐지, 일하는 여성 보육기관 전국지역별 설치.

06. 4차 산업-기술혁신 빙자한 플랫폼·앱사업 규제 완화 등 서민 일자리 수익 탈취 엄격 금지(예: 타다 등 유사 택시, 카풀앱·배달앱·포털 부동산 등 영세보호업종 지정, 진입 금지) / 기존 업종 협동조합화 유도해 앱 등 플랫폼 국가 지원과 서비스 개선 유도, 공유경제(긱경제, 온

디맨드) 표방한 플랫폼의 영세노동자 착취 엄금.

07. 제조업 리쇼어링(국내 복귀) 적극 지원, 해외제조·국내기업 엄격 관세부과 / 상급 정치노조 해체, 제조업 규제 완화, 제조업 산업용지 국가 지자체 적극 지원과 허가, 리쇼어링 기업 법인세 10년 감면 / 국가적 제조업 회생 지원, 일자리 창출 기업 일자리에 비례해 법인세-상속세 감면.

08. 광역-기초단체장·지방의원 선거 폐지, 지자체 의원 야간 전문직 등 무보수 명예직화 / 부패-무능-사리로 세금 낭비한 관료·단체장·기관장·정치인 피해액 재산 몰수 입법화, 정책-입법실명제 도입·책임부과.

09. 국가적 노인요양체계 개혁, 비리 요양병원 폐쇄·국가 인수, 대대적 전국 단위 전문 국가 요양시설 확충-시설 개선, 모범요양병원 합법 수익 보장, 요양지원 요원 10만 명 채용·준공무원화 / 의료민영화, 문재인 케어, 원격의료 반대.

10. 공시임대료제 전국 도입으로 건물연령·층·건축비·인테리어 등 반영해 산정, 임대료 가이드라인 설정, 초과수익 환수, 공실 시 세금감면.

11. 대통령·청와대 고위직·국회의원·장관 등 정무직 '가구별 중위소득

월급제' 실시(예: 2019년 4인 가족 461만 원) / 각종 특혜제도 폐지 /
정치인 비리 원아웃제로 영구 추방.

12. 통신·보험·유류·항공·가전 등 '서민 생활비 관련, 독과점 가격담합'
오너 형사·엄중 처벌 / 각종 관급공사 입찰-경매, 정부조달-매각 관
련, 담합 엄중 처벌 / 기업인수 사기·우회상장 등 가중 처벌, 사모펀
드 금지 / 주가 조작-담합, 내부정보 이용 등 손실배상 법제화 엄중
처벌 / 취업 비리 엄중 처벌.

13. 반북반중친미 기조 한미동맹, 한미일 삼각동맹, 사드 등 미국 주도
MD 참가, 전작권 환수 반대, 전술핵 공유, 중거리미사일 배치 등 주
요 동맹 안보정책 / 차기대선서 국민투표 공약, 집권 6개월 내 실시,
부결 시 퇴진.

14. 김정은이 비핵화하지 않으면 통일 대북교류협력 일체 중단, 가짜 비
핵화 협상 중단, 판문점선언-군사회담 무효, 대북 뒷거래 관련자 시
효 없는 사법 처리, '대북 식량, 개성공단, 금강산, 철도도로지원 등'
대북교류 지원 일체 금지, '대북안보 정책' 차기 대선 공약화 / 대북
밀무역 세컨더리 보이콧 미국 실행 촉구.

15. 선별적·효율적 복지 추진, 복지비리 척결, 장애인 정책 눈높이 현실
화, 님비형 정책 반대 무시 / 판검사-공직자 정치개입 엄금 / 국회(여
의도)-정부종합청사(세종시) 맞교환, 청와대 폐지와 정부청사 공원

화, 대통령 정부청사 근무 / 대통령과 그 자녀 친인척·지인 처벌 전문 수사기관 설치 / 청와대 외 국정원·통일부·여가부·평통·적십자사·자유총연맹 등 일체 관변 어용단체 폐지, 불요불급한 산하 공공기관 폐지.

2020년 10월 개정한 서포 15조: 대국민 이해도 증진 목적

제1장

경제 분야: 한국형 경제자본주의 구축, 일자리 창출, 저물가 실현으로 대중의 행복지수 증대.

1조. 중산층, 서민, 청년층에게 평당 700만 원 이하의 싱가포르 식 국가적 주택공급으로 부동산 가격 안정화, 실물경제 정상화, 서민들의 삶 질적 개선, 인구절벽 해소, 한국형 뉴딜정책화(코로나 사태 조기 극복).

2조. 외국인 노동자 대체, 제조업 국내 복귀를 통한 일자리 창출로 서민 생활 향상.

(2-1) 외국인 노동자와 난민수용 반대, 외국인과 그 재산 국내 전산등록제 실시, 특별자치도 폐지와 특례 폐지로 내국인 일자리 창출·경제자원 왜곡 방지.

(2-2) 타다 택시, 카카오 카풀, 배달앱, 포털 부동산 등 혁신과 4차 미래혁신산업을 빙자한 앱·플랫폼형 서민 일자리 탈취 금지.

(2-3) 제조업의 국내 복귀 국가적 적극 지원(노조 해체와 토지 제공, 법인세·상속세 인하)으로 일자리 창출과 경제성장에 기여.

(2-4) 공교육 중심의 정상적인 교육체계 구축을 위한 방과 후 교사 20만 명 채용, 국가적 노인요양체계 도입으로 요양지원 요원 10만 명 채용.

3조. 인구절벽 대응과 고용창출을 위한 '경력단절 여성 경제활동 참여 확대', '은퇴 지식근로자 활용', '국민연금 역할 확대', '창업기업 발굴과 성장 지원', '일하는 여성 국가적 보육체계 확립' 등으로 국가 역량 최대화.

4조. 주요 생활 독과점 품목 가격담합 금지로 저물가 실현, 경제정의 실현을 위한 주가 조작·내부정보 이용 금지, 기업인수 사기 금지, 취업비리 엄중 가중처벌, 사모펀드 금지.

5조. 전국적 공시임대료 도입과 보유세 부과 연계로 임대료 합리화·임대차 당사자 보호.

6조. '적정 자영업자 수 유지'를 위한 일자리 창출 극대화 정책 조기에 가시화, 자영업자 폐업을 가속화하는 최저임금 인상을 상당기간 동결, 주

52시간 강제근무제도 폐지.

7조. 로컬브랜드 확대를 위해 정부와 지자체가 로컬크리에이터Local Creator 창업 지원, 향후 로컬브랜드를 키울 장인대학을 설립·운영해 골목상권 활성화, 이를 미래 관광산업으로 핵심 자산화.

제2장

정치 분야: 노블레스 오블리주 정치 실현, 국민과 정부 간 신뢰 체계 개선.

8조. 지방자치제 폐지(공무원이 전담) 또는 현행 선거제도 유지하되 명예봉사직화, 세금낭비 정치인·관료 재산몰수, 정책실명제, 국회의원·장관·대통령 중위소득 월급제와 특혜 폐지, 부패정치인 원아웃제 실시, 판·검사·관료의 정치관여 척결 등으로 노블레스 오블리주 정치 실현과 전통문화로 자리매김.

제3장

사회 분야: 공정한 경쟁 시스템 사회, 청렴 사회 실현.

9조. 대입학력고사 부활, 내신 폐지, 사법시험 부활·로스쿨 폐지, 공교육 내 사교육 흡수, 의전원 폐지로 공정한 경쟁 사회 시스템 구축과 사회간 접비용 최소화.

10조. 민노총 등 상급 정치노조 해체·국민투표 회부·정치개입 금지로 노조의 기득권화에 다른 경제 폐해 방지, 기업의 생산요소비용 정상화, 대내외 투자유치 활성화. 정규직과 비정규직의 동일노동 가치에 따른 동일임금 체계 구축, 비정규직의 정규직 전환기준 객관화·합리화.

11조. 실용적인 평생교육 체계 개편, 교원의 정치활동과 언급 금지, 교육감 선거제도 폐지, 대학진학 지상주의 지양과 정상적인 교육시스템 구축.

12조. 국가적 요양복지체계 도입으로 노인인권과 의료서비스 체계의 질적 개선 도모, 현재 의료체계 선진화 수준 유지를 위한 문재인 케어·원격의료 반대, 반려동물 식용 금지, 동물보호법 제정.

13조. 선별적·효율적 복지 추진, 복지부패 척결, 청와대·국정원·통일부·평통·적십자·자유총연맹·여가부 해체, 불필요한 공공기관 폐지로 세금 낭비 배제·재정지출 합리화.

제4장

외교·안보 분야: 나라와 국민을 지키는 실리외교·안보, 한미동맹 강화, 올바른 대북관 확립.

14조. 반중친미, 한미일 삼각 안보구축, MD 참가, 전작권 전환 반대와 국민투표 회부 등으로 평화적·안정적·실리적 외교안보 체계 구축.

15조. 김정은 체제 하 통일 반대, 가짜 비핵화 사기 중단, 군사회담 판문점선언 무효, 대북 뒷거래 시효 없는 사법 처리·국민투표 회부, 세컨더리 보이콧 즉각 실행, 대북식량과 각종 지원 반대, 철저히 국익에 입각한 올바른 대북관계 인식과 대북정책 수립 실행.

신설조항 설명 ★ 표시는 보충 부분임.

1. 인구절벽 대응과 고용창출을 위한 '경력단절 여성 경제활동 참여 확대', '은퇴한 지식근로자 활용', '국민연금 역할 확대', '창업기업 발굴과 성장 지원', '일하는 여성 국가적 보육체계 확립' 등으로 국가 역량 최대화.

① 경력단절 여성 경제활동 참여 확대
- 인력 POOL: 여성 30~44세, 56~64%가 경단녀, 대졸여성 취업률

62%(OECD는 79%)
- 네덜란드 벤치마킹: 99개 스마트워크센터 운영(공공, 민간)
→ 업무효율성, 유연한 근무시간, 일과 가정 균형 등 근로조건 조성
  파트타임 근로자(주당 근무시간 36시간 미만) 76.6%
- 우리나라 여성의 경력단절 원인: 임신, 출산, 육아가 56.4%

② 은퇴한 지식근로자 활용(미국 중소기업청 산하기관, 스코어Score 활동 벤치마킹)
- 인력 풀: 은퇴 시기 도래자 57만 3000 명(2017년)/해마다 증가 추세
- 직무: 퇴직 임직원 활용한 중소기업 대상 경영자문, 학교교사, 국제협력활동 등
→ ①, ② 활성화를 위한 해당기업(기관) 일부 인건비 지원(정부, 지자체, 공공기관)

★★ 이들 잠재노동력만 잘 활용해도 향후 20년간 인구절벽에서 벗어날 수 있음

③ 국민연금의 역할 변화와 확대
- 국민연금 자산별 투자 비중: 채권 56%, 주식 33%, 대체투자 11%
→ 현재의 투자 포트폴리오를 변경해 벤처와 스타트업 투자 비중 크게 증대 필요
→ 최근 채권, 주식투자 수익률 낮음
→ 미국 캘리포니아공무원 연기금, 매년 5억 달러 수준 벤처에 투자

④ 정부·공공기관·산학연으로 창업기업 발굴. 이들의 교육, 보육, 투자 등 성장 지원

- 스타트업에 일정기간 세금 유예
- 부도가 나도 법적·재정적 책임 면제

→ 청년층에게 기회를 주고 실패를 두려워하지 않는 사회 시스템 구축을 위해 정부가 올인. 관련 규제 완화 필요

→ 경제성장·질적 발전은 밑바닥에서 나와야 하고, 4차산업조차 소수 대기업만의 몫이 아님. 다 같이 참여해야 함

2. 적정 자영업자 수 유지를 위한 일자리 창출 극대화 정책 조기에 가시화, 자영업자 폐업을 가속화하는 최저임금 인상을 상당기간 동결, 주52시간 강제근무제도 폐지.

- 한국의 자영업자 수 과다 원인(25% 비중):
 - 1991년 이후 생산성 초과·임금상승 지속, 기업이 부채경영에 크게 의존, 1997년 기업도산과 실업자 폭증, 1998년 IMF 초래
 - 실업자가 생계를 위해 골목상권으로 대거 진출, 과다경쟁
- 한국 대기업의 낮은 고용 비중: 한국 19.9%, 일본 52.9%, 미국 40%, 독일 50%
- 한국 영세업체 수와 여기에 종사하는 종업원 수 과다: 한국 24%, 일본 14%, 독일 6.7%
- 해결 방안(고용창출):

- 대기업체 수와 고용근로자 수 증대, 법인세 인하(20% 수준), 중소기업 법인세 인하(15%)
- 벤처·스타트업 지원 활성화
- 골목상권 활성화 지원: 로컬브랜드 확대, 로컬크리에이터 지원 등
- 골목상권 보호 명분의 대기업 규제는 소상공인·자영업자 위한 정책이 아님
- 배민의 독점화로 골목상권 어려움 가중, 반면 배달앱은 호황(2020년 8월 결제금액, 1조 원 이상)
→ 대비책 강구(불공정거래 방지 등)
 - 단순 카드수수료 인하, 가맹점 본부 규제 정책은 대안이 아님

★ 법인세 인하 당위성: 래퍼곡선에 따라 세율이 일정 수준 초과 시 오히려 세수감소 초래. 한국은 래퍼곡선상 '비표준지대'에 있어서 증세해도 세수감소. 현재 법인세 급감·보유세 급증 여건
★ 적정 자영업자 수 유지 = 과다 자영업자 수 배제
 (적정경쟁, 수익창출) (과다출혈 경쟁, 단기간 폐업, 청산비용 부담 방지)

3. 로컬브랜드를 확대하기 위해 정부와 지자체가 로컬크리에이터 창업 지원, 향후 로컬 브랜드를 키울 장인대학 설립·운영으로 골목상권 활성화, 이를 미래 관광산업으로 핵심 자산화

- 로컬크리에이터: 지역 콘텐츠에 기반을 둔 창의력과 기획력으로 혁신적인 창업에 나서는 사람
- 현재의 미미한 로컬브랜드 수준(내셔널브랜드 대비) 10~20% 증대 시 각 지역매장 특수성 생성
→ 지역상권 활성화 기반 구축 가능
- 성공 요건:
 - 오프라인에서 '소비자가 원하는 체험과 가치소비를 제공'하기 위해 로컬브랜드가 감성·분위기를 연출하는 골목길 공간 기획
- 미래 관광산업의 주체: 관광산업 활성화를 위해서는 원도심 중심으로 2박3일 체류 가능한 상업 공공기반 시설 구축 필요
- 골목상권의 반대말은 먹자골목이지 대로변 상권이 아님
- 20~30대 여성이 모이고 좋아하는 곳이 골목상권임

★ 캐나다 토론토대학교 교수 리처드 플로리다(도시학자)의 "로컬크리에이터들이 도시 번영을 주도한다"는 논리에 부합

→ 모종린 연세대학교 교수: 골목길 경제학자, 《골목길 자본론》 저자

"새로운 유통업의 미래는 로컬크리에이터에게 달려 있다."

[4차 산업혁명의 본질 소고]
4차 산업=R&D 일부

1. 4차 산업 기술 발상지, 생성 배경과 필요성

- 세계경제포럼WEF 설립자, 독일의 클라우스 슈밥 회장이 스마트팩토리 창안
- 2000년대 초반, 독일에 다가올 제조업 위기 체감
  : 중국의 저비용 노동력이 전 세계 제조업의 단가경쟁력을 떨어뜨리면서 자국 생존을 위해 스마트팩토리 시스템 도입(선도입, 후수익성 평가)
  : 독일연방인공지능연구소DKFI 주도, 스마트팩토리KL 출범(2005년) → 하이테크 전략 발표(2006년, 메르켈 총리) → 인더스트리 4.0 발표(2012년) → 플랫폼인더스트리 4.0 추진(2013년)
  : 독일제조업 비중 23%(GDP 대비), 한국 비중 35%, 중소기업 제조업 기술력은 독일이 한국보다 월등함에도 절박한 자세 견지
- 한국의 중소기업(제조업) 위상: 기술은 일본에 밀리고 인건비는 중국과 동남아에 뒤지는 넛크래커 상황. 한국의 대다수 중소기업이 20세기 제조방식 사용(단순 기계자동화). 우리의 장점인 ICT시스템을 제조공정과

연계해 생산성 50% 향상, 불량률 소수점 이하로 하락. 중소기업의 유일한 희망이자 돌파구가 스마트팩토리임(기계를 탄력적으로 운영하는 유연한 자동화 시스템). 고객의 니즈, 최저임금 인상, 주52시간 근무, 정치노조에 대응하는 수단으로 인기. 스마트팩토리=돈 되는 사업 인식 증대

→ 업종별·공정별 다양한 스마트팩토리 모델 존재. 현대차에 납품하는 남양공업이 BMW까지 판로를 확장한 사례는 스마트팩토리 시스템 도입 덕분

2. 4차 산업의 본질과 성공 조건

- 본질: 세상을 바꾸는 것은 인공지능 그 자체가 아니라 수많은 기업이 인공지능을 활용해 내놓는 제품과 서비스임

→ 한국 정부와 기업은 대부분 이를 인식하지 못함

- 성공 조건

① 한국 정부와 기업은 4차 산업혁명을 주도할 올바른 인식과 역량 부족. 정부의 인식 변화 시급

→ 한국 정부의 4차 산업 예산은 애플사 1년 R&D 예산의 4% 수준(애플의 증시 시총액수 4조 달러)

② 4차 산업의 퍼스트무버First Mover는 아니어도 패스트팔로어Fast Follower가 되려면 불필요한 규제를 모두 풀어야 함

→ 미국의 실리콘밸리가 자율주행차를 관리하는 이유는 규제가 최소화

또는 없기 때문임

3. 한국 R&D 운영 시스템: 개선 여지가 크고 정부의 올바른 역할이 절실함

- 이유: 한국 기업은 단기 응용개발 분야와 성과에만 집착함. 대규모 설비투자를 기반으로 한 선진국 모방 전략 중심이자 기술 개발 형태라 선진기술 개발에 한계가 따름

  : 한국 기업의 47%가 3년 내 성과창출 중심의 기술개발에 치중함. 10년을 내다보는 기업은 7% 미만(한국산업기술진흥협회)

  : 한국 의약품 산업은 OTC 제품 중심이고 독자적인 치료제 연구개발은 거의 전무함. 모방약 중심의 산업구조. 즉, 의약품 R&D는 개발 중심이며 연구 수준은 매우 취약. 리서치 계통의 코로나 치료제·백신·바이오 제품 개발이 거의 불가능 → 신라젠 특례 상장=사기는 당연한 결과임

  - 기업 연구소 3만 7000개, 연구원 32만 명, R&D 투자 50조 원의 양적 성장은 있었음. 질적 성장에서는 상기 요인으로 핵심기술 원천의 대외 의존도가 높아 기술 무역적자가 연간 6조 원에 달함. R&D 투자 중 산학협력에 지출하는 비용은 8% 수준에 불과함

  - OECD의 한국 R&D 평가: 투자 대비 기술 이전과 상용화가 부족하다고 평가(100가지 아이디어 중 상업화 3개 미만)

  - UBS의 4차 산업 적응 수준 평가: 세계 139개 국가 중 25위

  - 초라한 노벨상 실적: 건국 이래 노벨평화상(1)이 유일

- 정부 역할 증대:
- 정부주관, 산학연 간 연구개발의 긴밀한 협조체제 개선
- 정부 출연·투자연구기관의 운영 시스템 개선
→ 예산낭비 요소 원인 제거, 연구 인력의 질적 개선, 연구개발의 장단기 평가요소 객관화와 합리화(성과평가 시 내외부 전문 인력 구성으로 평가위원회 운영·개선)
→ 연구 성과 평가 시 신상필벌 강화
  - 공무원, 준공무원의 갑질 행동과 부패행위 척결
- 바이오주식 등 기술 특례 상장 요건 개선·강화: 상장심사 시, 정부·산학연 합동 심사 강화와 결정으로 부패 고리 차단

4. 삼성전자 사례: 타사 + 벤처기업과 협업 증대

- 가전제품에 인공지능, 사물인터넷IoT, 디스플레이, SW 등의 기술을 접목해 한국 외에 북미의 프리미엄 시장 공략
- 삼성은 자사에 없는 핵심기술을 확보하기 위해 M&A와 해당기술 인력을 스카우트하는 방법 사용, 기술을 보유한 다수 벤처기업·스타트업 참여
  (예) M&A: 스마트싱스(플랫폼 개발업체)
      조이언트(클라우드 업체)
      비브랩스(AI개발 업체)
  - 네이버와 협업: 삼성의 하드웨어 플랫폼 + 네이버 인공지능 기반

스마트홈서비스 → 사물인터넷 서비스 증대

- 프리미엄 빌트인 브랜드: '데이코' 브랜드 매입 사용

5. 4차 산업의 주체와 일자리 창출: 4차 산업은 선진국처럼 정부가 주도 해야 함

- 정부주관 + 대기업·중견기업·중소기업·벤처기업·스타트업 + 대학과 연구기관 협업 체계
- → 4차 산업은 소수 대기업의 전유물이 아니고 다 같이 참여해 경제성장 과 경제의 질적 발전에 기여해야 함
- 일자리 창출: 특히 정부 주도로 벤처기업과 스타트업을 대거 지원·육 성함으로써 4차산업 관련 상용기술을 개발해 경제발전과 국가 고용 창출에 적극 기여해야 함
- 4차 산업 기술은 R&D 관련 기술개발의 일부

6. 4차 산업 기술을 빙자한 앱 사업과 4차 산업혁명은 명확히 구분해야 함

- 타다 택시, 카카오 카풀, 배달의민족이 사용하는 앱은 4차 산업 기술 로 볼 수 없음
- → 정부와의 커넥션 또는 대중을 눈속임하는 것에 불과함

에필로그

손을 맞잡고 새로운 길을 가다

세상에는 수많은 경제학자·언론인·정치인들이 있다. 그들은 세상의 원리를 나름대로 해석하고 현학적인 지식을 뽐내곤 하지만, 대다수는 시대를 꿰뚫는 본질을 깨닫지 못한다.

그렇다면 많이 배우고 훌륭한 경력을 가진 그들이 어찌하여 세상의 변화를 느끼지 못하는 것일까? 한마디로 기득권층의 일원Membership이기 때문이다. 많이 배우고 못 배우고를 떠나 대다수 사람의 행동 원리에 대한 핵심은 이해관계Interests에서 비롯된다.

우리 사회는 대체로 '서민庶民'이란 말을 싫어한다. 만약 당신이 성공한 사람이라고 자부한다면 당신의 자녀들이 스스로 서민이란 말을 쓴다면 분노하게 될지도 모른다. '서민'이란 단어는 사전적으로 '아무 벼슬이나 신분적 특권을 가지고 있지 않은 일반 사람, 경제적으로 중류 이하의 넉넉지 못한 생활을 하는 사람'으로 정의한다. 영어로는 'Ordinary Person, Common People' 등으로 해석 될 수 있다.

한국민의 가구당 평균 재산은 4억 3000만 원 수준으로 추정된다. 서울 아파트 중간가격이 9억 2787만 원이다. 이렇게 본다면 국민 상당수가 사실상 서울 아파트 중위가격의 절반도 안 되는 재산을 갖고 있는 서민들이다. 말하자면 소득 4분위로 국민 80%가 서민에 속한다.

그런데 이들 중 다수는 스스로 '중산층'이라 불리길 원하고 중산층이라고 착각하며 살아가고 있다. 앞서 언급했던 경제학자·언론인·정치인들은 이런 착각을 끊임없이 유도하며 기득권층의 이익을 도와주는 역할을 해 주는 브로커Broker로 전락했다.

세상 어느 누구도 서민 대중을 위해 진심으로 고민하지 않는다. 최근 몇 년간 한국을 휩쓴 부동산 폭등은 서민들에게 삶의 최소 조건인 주거 공간마저 파괴해버렸다. 그렇지만 정치인·언론인·경제학자의 분노는 상층 투기계층의 '부동산 노다지 도박판'이 지속될 수 있는 데서 딱 멈춰 섰다.

평소 온갖 달콤한 말로 대중을 위로하는 척 하던 가짜 지식인들은 결국 이해관계 앞에서 그 본질을 드러냈던 것이다. 그들은 서민들의 삶에서 부동산으로 인해 생기는 고통의 디테일한 내막은 알고 싶어 하지 않는다. 마치 대한민국엔 서민의 존재는 없고 다수의 중산층이 있어 현금을 싸들고 다니며 언제든 공급만 되면 평당 3000만~4000만 원짜리 아파트를 살 준비를 하고 있는 듯 왜곡한다.

앵그리블루와 함께

그동안 〈황장수의 뉴스브리핑〉에는 수많은 사람이 거쳐 지나갔다. 그들 중에는 한때는 열광하다가 일순간 자신의 정치 취향이나 구미에 맞지 않는다며 돌을 던지고 떠난 사람이 있는가 하면, 나와 비슷한 생각을 하며 여전히 함께하는 사람들도 있다. 나와 함께하고 있는 사람들은 2018년 12월 신촌에서의 집회를 시작으로 스스로를 '앵그리블루'라 했다. 뉴스브리핑을 듣고 함께 집회를 거듭하며, 거르고 또 걸러내며 그들은 스스로 정치적 가치 공동체를 이루어냈다. 그 공동 가치의 소중한 결말이 '서포 15조'이다.

우리 사회와 같이 좌우가 배타적이고 편 가르기 좋아하는 현실에서 좌우 이념의 공허함을 지적하며, 이 이념 자체가 좌우 기득권이 만들어 낸 '길들이기'를 공감하는 세련되고 성숙한 대중들이 뭉쳐서 공통의 미래를 설계하는 것은 낙타가 바늘구멍을 통과하는 것보다 더 어려운 일일 것이다.

나는 그런 앵그리블루와 손을 맞잡고 '서포 15조'를 앞세워 새로운 길을 가고자 한다. 인간의 업業 가운데 가장 혐오스러운 것의 하나가 정치라고 하지만 우리의 표를 받아서 주인 행세를 하는 기득권층의 브로커인 정치인들을 추방하지 않으면 세상의 변화는 불가능하다. 그들을 몰아내지 않으면 우리는 그들의 노예가 되어 살아갈 수밖에 없다. 둘 중 하나뿐이다.

이제, 대보름 전후 들판의 건초처럼 이 세상은 바짝 말라 비틀어져 있다. 세상사에 지친 서민의 가슴 속도 바짝 말라 언제든 불꽃이 붙을 태세다. 그들은 너무 오래 속았고 기만당하며 살아왔다.

4년만… 5년만… 더 밀어주면 정의, 공정, 기회균등이 차고 넘치는 세상
이 온다고?

그러나 정작 돌아온 것은 불의, 불공정, 차별이었다. 한 번 속으면 실수이고, 두 번 속으면 어리석은 것이며, 세 번을 속으면 속은 자도 사회악의 일원이 된다. 잘못된 사회를 유지하는 데 적극적으로 가담했기 때문이다.

앵그리블루 노래에 '거짓과 위선의 세상 끝나가고 참된 서민 시대가 오고 있다'는 가사가 있다. 새 시대를 향해 뒤돌아보지 말고 미련 없이 앞으로 나아가려는 앵그리블루가 많이 있는 한, 그 길은 결코 외롭지 않을 것이다. 이 어두운 시대의 마지막 문짝을 기어이 닫아 버리는 것이 나에게 주어진 소명이라고 생각한다.

'서포 15조'와 함께 열린 새 시대에는 서민들의 삶도 고통이 아닌 좋은 기억의 연속인 세상이 되기를 간절히 희망한다.

대재앙 시대 생존 전략
황장수-서민 포퓰리즘 15조

발행일 2020년 10월 17일 초판 1쇄
2020년 10월 25일 초판 2쇄

지은이 황장수
기획 미래경영연구소
책임편집 박지영
발행인 고영래
발행처 (주)미래사

주소 서울시 마포구 신수로 60, 2층
전화 (02)773-5680
팩스 (02)773-5685
이메일 miraebooks@daum.net
등록 1995년 6월 17일(제2016-000084호)

ISBN 978-89-7087-334-3 03340